El sabueso de los Baskervilles

Arthur Conan Doyle

El sabueso de los Baskervilles

Nueva traducción al español
traducido del inglés por Guillermo Tirelli

Rosetta Edu

Título original: The Hound of the Baskervilles

Primera publicación: 1902

Primera edición: Febrero 2023

Publicado por Rosetta Edu
Londres, Febrero 2023
www.rosettaedu.com

ISBN: 978-1-915088-54-3

Rosetta Edu

CLÁSICOS EN ESPAÑOL

Rosetta Edu presenta en esta colección libros clásicos de la literatura universal en nuevas traducciones al español, con un lenguaje actual, comprensible y fiel al original.

Las ediciones consisten en textos íntegros y las traducciones prestan especial atención al vocabulario, dado que es el mismo contenido que ofrecemos en nuestras célebres ediciones bilingües utilizadas por estudiantes avanzados de lengua extranjera o de literatura moderna.

Acompañando la calidad del texto, los libros están impresos sobre papel de calidad, en formato de bolsillo o tapa dura, y con letra legible y de buen tamaño para dar un acceso más amplio a estas obras.

Rosetta Edu
Londres
www.rosettaedu.com

INDICE

Mi querido Robinson,

Este cuento debe su origen a su relato de una leyenda del oeste del país. Por ello y por su ayuda en los detalles, todo mi agradecimiento.

Sinceramente suyo,

A. Conan Doyle.

Hindhead, Haslemere.

CAPÍTULO 1 — EL SEÑOR SHERLOCK HOLMES

El señor Sherlock Holmes, que solía levantarse muy tarde por las mañanas, salvo en las ocasiones no infrecuentes en que pasaba la noche en vela, estaba sentado a la mesa desayunando. Me puse de pie sobre la alfombra de la chimenea y cogí el bastón que nuestro visitante había olvidado la noche anterior. Era un trozo de fina madera y buen grosor, de cabeza bulbosa, del tipo que se conoce como «abogado de Penang». Justo debajo de la cabeza había una ancha banda de plata de casi dos centímetros de ancho. «A James Mortimer, M.R.C.S., de sus amigos del C.C.H.», estaba grabado en ella, con la fecha «1884». Era un bastón como el que solía llevar el médico de familia a la antigua usanza: digno, sólido y convincente.

«Bueno, Watson, ¿qué opina?».

Holmes estaba sentado de espaldas a mí, y yo no le había dado ninguna señal de mi ocupación.

«¿Cómo supo lo que estaba haciendo? Creo que usted tiene ojos en la nuca».

«Tengo, al menos, una cafetera bien pulida y bañada en plata delante de mí», dijo. «Pero, dígame, Watson, ¿qué opina del bastón de nuestro visitante? Puesto que hemos sido tan desafortunados como para no verle y no tenemos noción de su recado, este recuerdo accidental cobra importancia. Déjeme oírle reconstruir al hombre mediante un examen del mismo».

«Creo», dije yo, siguiendo en la medida de lo posible los métodos de mi compañero, «que el Doctor Mortimer es un exitoso y experimentado médico, bien estimado ya que quienes le conocen le dan esta muestra de su aprecio».

«¡Bien!», dijo Holmes. «¡Excelente!».

«Creo también que la probabilidad está a favor de que sea un practicante del campo que hace gran parte de sus visitas a pie».

«¿Por qué?».

«Porque este bastón, aunque originalmente era muy bonito, ha sufrido tantos golpes que me cuesta imaginar a un practicante de la ciudad llevándolo. La virola de hierro grueso está desgastada, por lo que es evidente que ha caminado mucho con él».

«¡Magnífico!», dijo Holmes.

«Y por otra parte, están los "amigos del C.C.H.". Supongo que se trata de la Asociación de Algo de Caza [Hunt], el grupo de caza local a cuyos miembros posiblemente ha prestado alguna ayuda quirúrgica, y que le ha hecho un pequeño presente a cambio».

«Realmente, Watson, usted se supera a sí mismo», dijo Holmes, echando hacia atrás su silla y encendiendo un cigarrillo. «Me veo obligado a decir que en todos los relatos que ha tenido la bondad de hacer sobre mis pequeños logros ha infravalorado habitualmente sus propias capacidades. Puede que usted mismo no sea luminoso, pero es un conductor de luz. Algunas personas sin poseer genio tienen un notable poder para estimularlo. Confieso, mi querido amigo, que estoy muy en deuda con usted».

Nunca antes había dicho tanto, y debo admitir que sus palabras me produjeron un vivo placer, pues a menudo me había picado su indiferencia ante mi admiración y los intentos que yo había hecho de dar publicidad a sus métodos. También me enorgullecía pensar que yo había llegado a dominar tanto su sistema como para aplicarlo de un modo que ganaba su aprobación. A continuación él cogió el bastón de mis manos y lo examinó durante unos minutos a simple vista. Luego, con una expresión de interés, dejó el cigarrillo y, llevando el bastón a la ventana, volvió a mirarlo con una lente convexa.

«Interesante, aunque elemental», dijo mientras volvía a su rincón favorito del sofá. «Ciertamente hay uno o dos indicios en el bastón. Nos da la base para varias deducciones».

«¿Se me ha escapado algo?», pregunté con cierta arrogancia. «Confío en que no haya nada importante que se me haya pasado por alto».

«Me temo, mi querido Watson, que la mayoría de sus conclusiones eran erróneas. Cuando dije que usted me estimulaba quise decir, para ser franco, que al observar sus falacias me guiaba ocasionalmente hacia la verdad. No es que esté totalmente equivocado en este caso. El hombre es ciertamente un practicante de campo. Y camina mucho».

«Entonces tenía razón».

«Hasta ese punto».

«Pero eso fue todo».

«No, no, mi querido Watson, no todo... ni mucho menos. Sugeriría, por ejemplo, que es más probable que una presentación a un médico provenga de un hospital que de un club de caza, y que cuando las iniciales "C.C." se colocan delante de ese hospital, las palabras "Charing Cross" se sugieren muy naturalmente».

«Puede que tenga razón».

«La probabilidad va en esa dirección. Y si tomamos esto como una hipótesis de trabajo tenemos una base fresca desde la que empezar nuestra construcción de este visitante desconocido».

«Bien, entonces, suponiendo que "C.C.H." signifique efectivamente "Hospital de Charing Cross" ["Charing Cross Hospital"], ¿qué otras deducciones podemos sacar?».

«¿Alguna sugerencia? Ya conoce mis métodos. Aplíquelos».

«Sólo se me ocurre la conclusión obvia de que el hombre ha ejercido en la ciudad antes de ir al campo».

«Creo que podríamos aventurarnos un poco más allá. Mírelo desde este punto de vista. ¿En qué ocasión sería más probable que se hiciera tal presente? ¿Cuándo se unirían sus amigos para darle una prenda de su buena voluntad? Obviamente en el momento en que el Doctor Mortimer se retiró del servicio del hospital para iniciar una práctica por su cuenta. Sabemos que ha habido un presente. Creemos que ha habido un cambio de un hospital de ciudad a una consulta de campo. ¿Es, entonces, forzar demasiado nuestra inferencia decir que el presente fue otorgado con ocasión del cambio?».

«Ciertamente parece probable».

«Ahora bien, observará que no podía formar parte del personal del hospital, ya que sólo un hombre bien establecido en una consulta londinense podía ocupar un puesto así, y uno así no se iría al campo. ¿Qué era, entonces? Si estaba en el hospital y sin embargo no formaba parte de la plantilla, sólo podía haber sido un cirujano a domicilio o un médico a domicilio... poco más que un estudiante de último curso. Y se fue hace cinco años... la fecha está en el bastón. Así que su grave médico de familia de mediana edad se desvanece en el aire, mi querido Watson, y surge un joven de menos de treinta años, amable, poco ambicioso, despistado y poseedor de un perro favorito, que yo describiría aproximadamente como más grande que un terrier y más pequeño que un mastín».

Me reí con incredulidad mientras Sherlock Holmes se recostaba en su sofá y soplaba pequeños anillos de humo vacilantes hacia el techo.

«En cuanto a esto último, no tengo medios para comprobarlo», dije, «pero al menos no es difícil averiguar algunos detalles sobre la edad y la carrera profesional del hombre». De mi pequeña estantería médica saqué el Directorio Médico y apareció el nombre. Había varios Mortimer, pero sólo uno que podía ser nuestro visitante. Leí su historial en voz alta.

«Mortimer, James, M.R.C.S., 1882, Grimpen, Dartmoor, Devon. Cirujano a domicilio, de 1882 a 1884, en el Hospital Charing Cross. Ganador del premio Jackson de Patología Comparada, con un ensayo titulado "¿Es la enfermedad una reversión?". Miembro correspondiente de la Sociedad Patológica Sueca. Autor de "Algunos fenómenos del atavismo"

(*Lancet* 1882). "¿Progresamos?" (*Revista de Psicología*, marzo de 1883). Oficial médico de las parroquias de Grimpen, Thorsley y High Barrow».

«Ninguna mención a esa asociación de caza, Watson», dijo Holmes con una sonrisa maliciosa, «pero sí a un médico rural, como usted ha observado muy astutamente. Creo que mis deducciones están bastante justificadas. En cuanto a los adjetivos, dije, si no recuerdo mal, amable, poco ambicioso y despistado. Según mi experiencia, sólo un hombre amable en este mundo recibe testimonios, sólo uno poco ambicioso abandona una carrera en Londres por el campo, y sólo uno despistado deja su bastón y no su tarjeta de visita después de esperar una hora en el salón».

«¿Y el perro?».

«Ha tenido la costumbre de llevar este bastón detrás de su amo. Al ser un bastón pesado el perro lo ha sujetado fuertemente por el centro, y las marcas de sus dientes son muy claramente visibles. La mandíbula del perro, como muestra el espacio entre estas marcas, es demasiado ancha en mi opinión para un terrier y no lo suficiente para un mastín. Puede haber sido... sí, por Júpiter, es un spaniel de pelo rizado».

Se había levantado y paseaba por la habitación mientras hablaba. Ahora se detuvo en el hueco de la ventana. Había tal timbre de convicción en su voz que levanté la vista sorprendido.

«Mi querido amigo, ¿cómo es posible que esté tan seguro de eso?».

«Por la sencilla razón de que veo al propio perro en el umbral de nuestra puerta, y ahí está su dueño tocando el timbre. No se mueva, se lo ruego, Watson. Es un hermano suyo de profesión, y su presencia puede serme de ayuda. Ahora es el momento dramático del destino, Watson, cuando oye un paso en la escalera y alguien entra en su vida, y no sabe si para bien o para mal. ¿Qué le pide el Doctor James Mortimer, el hombre de ciencia, a Sherlock Holmes, el especialista en crímenes? ¡Adelante!».

El aspecto de nuestro visitante fue una sorpresa para mí, ya que había esperado a un típico médico rural. Era un hombre muy alto y delgado, con una nariz larga como un pico, que sobresalía entre dos ojos agudos y grises, muy juntos y que brillaban intensamente tras un par de gafas de montura dorada. Vestía de forma profesional pero bastante desaliñada, pues su levita estaba deslucida y sus pantalones deshilachados. Aunque joven, su larga espalda ya estaba encorvada y caminaba echando la cabeza hacia delante y con un aire general de benevolencia fisgona. Al entrar, sus ojos se posaron en el bastón que Holmes llevaba en la mano, y corrió hacia él con una exclamación de alegría. «Me alegro mucho», dijo. «No estaba seguro de si lo había dejado aquí o en la Oficina

Marítima. No perdería ese bastón por nada del mundo».

«Un presente, por lo que veo», dijo Holmes.

«Sí, señor».

«¿Del Hospital Charing Cross?».

«De uno o dos amigos de allí con motivo de mi boda».

«¡Querido, querido, eso es malo!», dijo Holmes, sacudiendo la cabeza.

El Doctor Mortimer parpadeó a través de sus gafas con leve asombro. «¿Por qué es malo?».

«Sólo que usted ha desordenado nuestras pequeñas deducciones. ¿Su matrimonio, dice?».

«Sí, señor. Me casé, y así dejé el hospital, y con él todas las esperanzas de tener un consultorio. Era necesario formar un hogar propio».

«Vamos, vamos, no estamos tan equivocados, después de todo», dijo Holmes. «Y ahora, Doctor James Mortimer...».

«"Señor", señor, sólo "Señor"... un humilde M.R.C.S. [Miembro del Colegio Real de Cirujanos]».

«Y un hombre de mente precisa, evidentemente».

«Un aficionado a la ciencia, señor Holmes, un recolector de conchas en las orillas del gran océano desconocido. Supongo que es al señor Sherlock Holmes a quien me dirijo y no...».

«No, este es mi amigo el Doctor Watson».

«Encantado de conocerle, señor. He oído mencionar su nombre en relación con el de su amigo. Usted me interesa mucho, señor Holmes. No esperaba un cráneo tan dolicocéfalo ni un desarrollo supraorbital tan bien marcado. ¿Tendría algún inconveniente en que le pasara el dedo por la fisura parietal? Un molde de su cráneo, señor, hasta que se disponga del original, sería un ornamento en cualquier museo antropológico. No es mi intención ser efusivo, pero confieso que codicio su cráneo».

Sherlock Holmes hizo señas a nuestro extraño visitante para que se sentara en una silla. «Es usted un entusiasta en su línea de pensamiento, percibo, señor, como yo lo soy en la mía», dijo. «Observo por su dedo índice que usted se arma sus propios cigarrillos. No dude en encender uno».

El hombre sacó papel y tabaco y enroscó uno en el otro con sorprendente destreza. Tenía unos dedos largos y temblorosos, tan ágiles e inquietos como las antenas de un insecto.

Holmes guardó silencio, pero sus miraditas me demostraron el interés que le despertaba nuestro curioso compañero. «Supongo, señor», dijo al fin, «que no ha sido con el mero propósito de examinar mi cráneo por lo que me ha hecho el honor de venir aquí anoche y de nuevo hoy».

«No, señor, no; aunque me alegro de haber tenido también la oportunidad de hacerlo. Acudí a usted, señor Holmes, porque reconocí que yo mismo soy un hombre poco práctico y porque de repente me encuentro ante un problema de lo más grave y extraordinario. Reconociendo, como reconozco, que usted es el segundo mayor experto de Europa...».

«¡En efecto, señor! ¿Puedo preguntar quién tiene el honor de ser el primero?», preguntó Holmes con cierta aspereza.

«Para el hombre de mente precisamente científica, la obra de Monsieur Bertillon siempre debe apelar con gran intensidad».

«Entonces, ¿no sería mejor que lo consultara con él?».

«He dicho, señor, para la mente precisamente científica. Pero como hombre práctico en los asuntos se reconoce que usted es el único. Confío, señor, que no he inadvertidamente...».

«Sólo un poco», dijo Holmes. «Creo, Doctor Mortimer, que haría usted bien si sin más preámbulos tuviera la amabilidad de decirme claramente cuál es la naturaleza exacta del problema en el que demanda mi ayuda».

CAPÍTULO 2 – LA MALDICIÓN DE LOS BASKERVILLE

«Tengo un manuscrito en el bolsillo», dijo el Doctor James Mortimer.

«Lo observé cuando entró en la habitación», dijo Holmes.

«Es un manuscrito antiguo».

«Principios del siglo XVIII, a menos que sea una falsificación».

«¿Cómo puede decir eso, señor?».

«Ha presentado uno o dos centímetros a mi examen durante todo el tiempo que ha estado hablando. Sería un pobre experto el que no pudiera dar la fecha de un documento con exactitud de una década más o menos. Posiblemente haya leído mi pequeña monografía sobre el tema. Lo sitúo en 1730».

«La fecha exacta es 1742». El Doctor Mortimer lo sacó de su bolsillo. «Este documento familiar fue confiado a mi cuidado por Sir Charles Baskerville, cuya repentina y trágica muerte hace unos tres meses creó tanta conmoción en Devonshire. Debo decir que yo era su amigo personal, además de su asistente médico. Era un hombre de mente fuerte, señor, astuto, práctico y tan poco imaginativo como yo mismo. Sin embargo, se tomó este documento muy en serio, y su mente estaba preparada para un final como el que en definitiva le sobrevino».

Holmes alargó la mano para coger el manuscrito y lo aplastó sobre su rodilla. «Observará, Watson, el uso alternativo de la s larga y la corta. Es uno de los varios indicios que me permitieron fijar la fecha».

Miré por encima de su hombro el papel amarillo y la letra descolorida. En la cabecera estaba escrito: «Baskerville Hall», y debajo, en grandes caracteres garabateados: «1742».

«Parece ser una declaración de algún tipo».

«Sí, es una declaración de cierta leyenda que corre en la familia Baskerville».

«¿Pero entiendo que es algo más moderno y práctico sobre lo que desea consultarme?».

«Más moderno. Un asunto de lo más práctico y apremiante, que debe decidirse en veinticuatro horas. Pero el manuscrito es breve y está íntimamente relacionado con el asunto. Con su permiso se lo leeré».

Holmes se reclinó en su silla, juntó las puntas de los dedos y cerró los ojos, con aire de resignación. El Doctor Mortimer volvió el manuscrito hacia la luz y leyó con voz aguda y quebradiza la siguiente curiosa narración del viejo mundo:

«Sobre el origen del Sabueso de los Baskerville ha habido muchas afirmaciones, pero como desciendo en línea directa de Hugo Baskerville, y como recibí la historia de mi padre, que también la recibió del suyo, la he consignado con toda convicción de que ocurrió tal como aquí se expone. Y me gustaría que creyeran, hijos míos, que la misma Justicia que castiga el pecado puede también perdonarlo muy graciosamente, y que ninguna prohibición es tan pesada que mediante la oración y el arrepentimiento no puede ser eliminada. Aprendan entonces de esta historia a no temer los frutos del pasado, sino más bien a ser circunspectos en el futuro, para que esas sucias pasiones por las que nuestra familia ha sufrido tan penosamente no vuelvan a desatarse para nuestra perdición.

«Sepan, pues, que en la época de la Gran Rebelión (cuya historia por el erudito Lord Clarendon recomiendo encarecidamente a su atención) este señorío de Baskerville estaba en manos de Hugo de ese nombre, y no se puede negar que era un hombre de lo más salvaje, profano e impío. Esto, en verdad, sus vecinos podrían haberlo perdonado, dado que los santos nunca han florecido en esas partes, pero había en él un cierto humor desenfrenado y cruel que hizo de su nombre un blasfemo en todo el Oeste. Dio la casualidad de que este Hugo llegó a amar (si, en verdad, una pasión tan oscura puede conocerse bajo un nombre tan brillante) a la hija de un terrateniente que poseía tierras cerca de la finca de los Baskerville. Pero la joven doncella, siendo discreta y de buena reputación, lo evitaba siempre, pues temía su mala fama. Así sucedió que un día de San Miguel el tal Hugo, con cinco o seis de sus ociosos y malvados compañeros, robaron en la granja y se llevaron a la doncella, ya que su padre y sus hermanos no estaban en casa, como él bien sabía. Cuando la hubieron llevado al Hall, la doncella fue colocada en una cámara superior, mientras Hugo y sus amigos se sentaban a una larga juerga, como era su costumbre nocturna. Ahora bien, la pobre muchacha que seguía arriba estaba a punto de perder la razón ante las canciones, los gritos y los terribles juramentos que le llegaban desde abajo, pues dicen que las palabras que usaba Hugo Baskerville, cuando estaba en vino, eran tales que podían hacer estallar al hombre que las decía. Por fin, presa del miedo, ella hizo lo que podría haber amedrentado al hombre más valiente o más activo, pues con la ayuda de la hiedra que cubría (y aún cubre) el muro sur, bajó por debajo del alero y así volvió a casa cruzando el páramo, pues había tres leguas entre la mansión y la granja de su padre.

«Sucedió que poco tiempo después Hugo dejó a sus invitados para llevar comida y bebida —con otras cosas peores, tal vez— a su cautiva, y así encontró la jaula vacía y al pájaro escapado. Entonces, según parece, se puso como quien tiene un demonio, pues, bajando a toda prisa las escaleras hasta el comedor, se abalanzó sobre la gran mesa, con los jarros y las bandejas volando ante él, y gritó en voz alta ante toda la compañía que esa misma noche entregaría su cuerpo y su alma a los Poderes del Mal si conseguía atrapar a la moza. Y mientras los juerguistas permanecían atónitos ante la furia del hombre, uno más malvado o, puede ser, más borracho que el resto, gritó que le echaran los sabuesos encima. Entonces Hugo salió corriendo de la casa, gritando a sus mozos de cuadra que ensillaran a su yegua y desenjaulasen a la jauría, y dando a los sabuesos un pañuelo de la doncella, los enganchó a la cuerda, y así partieron gritando a pleno pulmón a la luz de la luna sobre el páramo.

«Durante algún tiempo, los juerguistas se quedaron boquiabiertos, incapaces de comprender todo lo que se había hecho con tanta prisa. Pero al poco rato sus aturdidos ingenios despertaron a la naturaleza de la hazaña que estaba a punto de cometerse en el páramo. Todo era ahora un alboroto, algunos pedían sus pistolas, otros sus caballos y otros otro frasco de vino. Pero al final algo de sentido común volvió a sus mentes enloquecidas, y todos ellos, trece en número, tomaron el caballo y emprendieron la persecución. La luna brillaba clara sobre ellos, y cabalgaron rápidamente a la par, tomando el rumbo que la doncella debía necesariamente haber tomado si quería llegar a su propio hogar.

«Habían recorrido una milla o dos cuando se cruzaron con uno de los pastores nocturnos en el páramo, y le gritaron para saber si había visto la cacería. Y el hombre, según cuenta la historia, estaba tan enloquecido de miedo que apenas podía hablar, pero al final dijo que efectivamente había visto a la infeliz doncella, con los sabuesos tras su pista. "Pero he visto más que eso", dijo, "pues Hugo Baskerville pasó junto a mí montado en su yegua negra, y detrás de él corría mudo un sabueso del infierno como Dios no quiera que me pisara los talones". Así que los escuderos borrachos maldijeron al pastor y siguieron cabalgando. Pero pronto se les heló la piel, pues se oyó un galope por el páramo y la yegua negra, empapada de espuma blanca, pasó con la brida suelta y la silla vacía. Entonces los juerguistas cabalgaron muy juntos, pues les invadía un gran temor, pero aun así siguieron por el páramo, aunque cada uno, de haber estado solo, se habría alegrado mucho de haber girado la cabeza de su caballo. Cabalgando lentamente de esta manera llegaron por fin a los sabuesos. Éstos, aunque conocidos por su valor y su raza, estaban lloriqueando en un grupo a la cabeza de una profunda hondonada o barranco, como lo llamamos, en el páramo, algunos escabulléndose y otros, con los pelos de punta y los ojos fijos, contemplando el estrecho valle que tenían ante ellos.

«La compañía se había detenido, con hombres más sobrios, como puede suponerse, que cuando empezaron. La mayoría de ellos no quiso de ningún modo avanzar, pero tres de ellos, los más audaces, o puede que los más borrachos, cabalgaron hacia delante por el barranco. Éste se abría a un amplio espacio en el que se alzaban dos de esas grandes piedras que aún pueden verse allí y que fueron colocadas por ciertos pueblos olvidados en los días de antaño. La luna brillaba sobre el claro, y allí, en el centro, yacía la infeliz doncella donde había caído, muerta de miedo y de fatiga. Pero no fue la visión de su cuerpo, ni tampoco la del cuerpo de Hugo Baskerville tendido cerca de ella, lo que erizó el vello de la cabeza de estos tres atrevidos bribones, sino que, de pie sobre Hugo, y desgarrándole la garganta, había una cosa repugnante, una bestia grande y negra, con forma de sabueso, pero más grande que cualquier sabueso sobre el que se haya posado un ojo mortal. E incluso mientras miraban la cosa le arrancó la garganta a Hugo Baskerville, sobre el cual, al volver sus ojos llameantes y sus mandíbulas chorreantes sobre ellos, los tres chillaron de miedo y cabalgaron para salvar sus vidas, aún gritando, a través del páramo. Se dice que uno de ellos murió esa misma noche por lo que había visto, y los otros dos no fueron más que hombres destrozados el resto de sus días.

«Tal es la historia, hijos míos, de la llegada del sabueso que, según se dice, tanto ha atormentado a la familia desde entonces. Si la he relatado es porque lo que se conoce claramente tiene menos terror que lo que sólo se insinúa y adivina. Tampoco se puede negar que muchos de la familia han sido desgraciados en sus muertes, que han sido repentinas, sangrientas y misteriosas. Sin embargo, podemos refugiarnos en la infinita bondad de la Providencia, que no castigaría para siempre a los inocentes más allá de esa tercera o cuarta generación con la que amenaza la Sagrada Escritura. A esa Providencia, hijos míos, les encomiendo por la presente, y les aconsejo a modo de advertencia que se abstengan de cruzar el páramo en esas horas oscuras en que se exaltan los poderes del mal.

«[Esto de Hugo Baskerville a sus hijos Rodger y John, con instrucciones de que no digan nada de esto a su hermana Elizabeth]».

Cuando el Doctor Mortimer hubo terminado de leer esta singular narración, se subió las gafas sobre la frente y miró fijamente al señor Sherlock Holmes. Éste bostezó y arrojó la colilla de su cigarrillo al fuego.

«¿Y bien?», dijo él.

«¿No le parece interesante?».

«A un coleccionista de cuentos de hadas».

El Doctor Mortimer sacó un periódico doblado de su bolsillo.

«Ahora, señor Holmes, le daremos algo un poco más reciente. Se trata del *Devon County Chronicle* del 14 de mayo de este año. Es un breve relato de los hechos suscitados en la muerte de Sir Charles Baskerville ocurrida pocos días antes de esa fecha».

Mi amigo se inclinó un poco hacia delante y su expresión se volvió más atenta. Nuestro visitante se reajustó las gafas y comenzó:

«La reciente y repentina muerte de Sir Charles Baskerville, cuyo nombre se ha mencionado como probable candidato liberal por Mid-Devon en las próximas elecciones, ha arrojado una sombra sobre el condado. Aunque Sir Charles había residido en Baskerville Hall durante un periodo comparativamente corto, su amabilidad de carácter y su extrema generosidad se habían ganado el afecto y el respeto de todos los que habían estado en contacto con él. En estos días de nuevos ricos es refrescante encontrar un caso en el que el vástago de una antigua familia del condado que ha caído en desgracia es capaz de hacer su propia fortuna y traerla consigo para restaurar la grandeza caída de su linaje. Sir Charles, como es bien sabido, ganó grandes sumas de dinero en la especulación sudafricana. Más sabio que aquellos que siguen adelante hasta que la rueda gira en su contra, se percató de sus ganancias y regresó a Inglaterra con ellas. Hace sólo dos años que fijó su residencia en Baskerville Hall, y es de dominio público la magnitud de los planes de reconstrucción y mejora que se han visto interrumpidos por su muerte. Siendo él mismo huérfano, era su deseo abiertamente expresado que todo el territorio se beneficiara, durante su propia vida, de su buena fortuna, y muchos tendrán razones personales para lamentar su prematuro fin. Sus generosas donaciones a organizaciones benéficas locales y del condado han sido relatadas con frecuencia en estas columnas.

«No puede decirse que las circunstancias relacionadas con la muerte de Sir Charles hayan quedado totalmente aclaradas por la investigación, pero al menos se ha hecho lo suficiente para deshacerse de los rumores a los que ha dado lugar la superstición local. No hay razón alguna para sospechar de juego sucio, ni para imaginar que la muerte pudiera deberse a causas que no fueran naturales. Sir Charles era viudo y un hombre del que puede decirse que tenía en cierto modo un hábito mental excéntrico. A pesar de su considerable riqueza era sencillo en sus gustos personales, y sus sirvientes en el interior de Baskerville Hall consistían en un matrimonio llamado Barrymore, el marido actuaba como mayordomo y la esposa como ama de llaves. Sus pruebas, corroboradas por las de varios amigos, tienden a demostrar que la salud de Sir Charles ha estado deteriorada durante algún tiempo, y apuntan especialmente a alguna afección del corazón, que se manifiesta en cambios de color, disnea y ataques agudos de depresión nerviosa. El Doctor James Mortimer, amigo y asistente médico del difunto, ha dado pruebas en el mismo sentido.

«Los hechos del caso son sencillos. Sir Charles Baskerville tenía la costumbre, todas las noches antes de acostarse, de pasear por el famoso callejón de tejos de Baskerville Hall. El testimonio de los Barrymore demuestran que ésta había sido su costumbre. El cuatro de mayo Sir Charles había declarado su intención de partir al día siguiente hacia Londres, y había ordenado a Barrymore que preparara su equipaje. Esa noche salió como de costumbre a dar su paseo nocturno, en el transcurso del cual tenía la costumbre de fumar un cigarro. Nunca regresó. A las doce, Barrymore, al encontrar la puerta del vestíbulo aún abierta, se alarmó y, encendiendo una linterna, fue en busca de su amo. El día había sido húmedo, y las huellas de Sir Charles se podían rastrear fácilmente por el callejón. A mitad de este paseo hay una puerta que da al páramo. Había indicios de que Sir Charles había permanecido allí algún tiempo. Luego siguió por el callejón, y fue en el extremo más alejado del mismo donde se descubrió su cuerpo. Un hecho que no se ha explicado es la afirmación de Barrymore de que las huellas de su amo alteraron su carácter desde el momento en que pasó la puerta del páramo, y que a partir de entonces parecía haber estado caminando sobre las puntas de los pies. Un tal Murphy, un gitano tratante de caballos, se encontraba en el páramo a no mucha distancia en ese momento, pero según su propia confesión parece haber estado peor por la bebida. Declara que oyó gritos pero es incapaz de precisar de qué dirección procedían. No se descubrió ningún signo de violencia en la persona de Sir Charles, y aunque las pruebas del médico apuntaban a una distorsión facial casi increíble —tan grande que el Doctor Mortimer se negó al principio a creer que era realmente su amigo y paciente quien yacía ante él—, se le explicó que ése es un síntoma que no es inusual en casos de disnea y muerte por agotamiento cardíaco. Esta explicación fue corroborada por el examen post-mortem, que mostró una enfermedad orgánica de larga duración, y el jurado del forense emitió un veredicto de acuerdo con las pruebas médicas. Es bueno que así sea, pues es obviamente de la mayor importancia que el heredero de Sir Charles se establezca en el Hall y continúe la buena labor que tan tristemente se ha visto interrumpida. Si el prosaico hallazgo del forense no hubiera acabado finalmente con las historias románticas que se han susurrado en relación con el asunto, podría haber sido difícil encontrar un inquilino para Baskerville Hall. Se tiene entendido que el pariente más próximo es el señor Henry Baskerville, si aún vive, hijo del hermano menor de Sir Charles Baskerville. La última vez que se supo de él se encontraba en América, y se están haciendo averiguaciones para informarle de su buena fortuna».

El Doctor Mortimer volvió a doblar su papel y se lo guardó en el bolsillo. «Ésos son los hechos públicos, señor Holmes, en relación con la muerte de Sir Charles Baskerville».

«Debo agradecerle», dijo Sherlock Holmes, «que haya llamado mi atención sobre un caso que sin duda presenta algunos rasgos de interés. Había observado algunos comentarios periodísticos en su momento, pero estaba excesivamente preocupado por ese pequeño asunto de los camafeos vaticanos, y en mi ansiedad por complacer al Papa perdí el contacto con varios casos ingleses interesantes. ¿Este artículo, dice usted, contiene todos los hechos públicos?».

«Así es».

«Entonces cuénteme los privados». Se echó hacia atrás, juntó las puntas de los dedos y adoptó su expresión más impasible y judicial.

«Al hacerlo», dijo el Doctor Mortimer, que había empezado a mostrar signos de una fuerte emoción, «estoy contando algo que no he confiado a nadie. Mi motivo para ocultárselo a la investigación del forense es que un hombre de ciencia se resiste a colocarse en una posición pública en la que parezca que respalda una superstición popular. Tenía además el motivo de que Baskerville Hall, como dice el periódico, quedaría sin duda deshabitada si llegaba a hacerse algo que aumentara su ya bastante sombría reputación. Por estas dos razones pensé que tenía justificación contando bastante menos de lo que sabía, ya que ningún bien práctico podría derivarse de ello, pero con usted no hay ninguna razón para que no sea perfectamente franco.

«El páramo está muy poco habitado y los que viven cerca lo hacen muy juntos. Por esta razón vi mucho a Sir Charles Baskerville. A excepción del señor Frankland, de Lafter Hall, y del señor Stapleton, el naturalista, no hay otras personas educadas en muchos kilómetros a la redonda. Sir Charles era un hombre retraído, pero la casualidad de su enfermedad nos unió, y una comunidad de intereses en la ciencia nos mantuvo así. Había traído mucha información científica de Sudáfrica, y hemos pasado juntos muchas tardes encantadoras discutiendo la anatomía comparada del bosquimano y el hotentote.

«En los últimos meses me resultó cada vez más evidente que el sistema nervioso de Sir Charles estaba tenso hasta el límite. Se había tomado muy a pecho esa leyenda que le he leído, hasta el punto de que, aunque paseaba por sus propios terrenos, nada le inducía a salir al páramo por la noche. Por increíble que pueda parecerle, señor Holmes, estaba sinceramente convencido de que un destino espantoso se cernía sobre su familia y, ciertamente, los datos que pudo aportar sobre sus antepasados no eran alentadores. La idea de alguna presencia espantosa le rondaba constantemente, y en más de una ocasión me ha preguntado si en mis viajes médicos nocturnos había visto alguna vez alguna criatura extraña o había oído el aullido de un sabueso. Esta última pregunta me la hizo varias veces, y siempre con una voz que vibraba de excitación.

«Recuerdo perfectamente haber ido a su casa por la noche, unas tres semanas antes del fatal suceso. Casualmente estaba en la puerta de su salón. Yo había descendido de mi calesa y estaba de pie frente a él, cuando vi que sus ojos se clavaban por encima de mi hombro y me miraban fijamente con una expresión del horror más espantoso. Me di la vuelta y tuve el tiempo justo de vislumbrar algo que me pareció un gran ternero negro que pasaba por delante del camino de entrada. Tan excitado y alarmado estaba que me vi obligado a bajar al lugar donde había estado el animal y buscarlo. Sin embargo, ya no estaba y el incidente pareció causar la peor impresión en su mente. Me quedé con él toda la velada, y fue en esa ocasión, para explicar la emoción que había mostrado, cuando me confió la narración que les leí cuando llegué. Menciono este pequeño episodio porque adquiere cierta importancia en vista de la tragedia que siguió, pero en aquel momento yo estaba convencido de que el asunto era totalmente trivial y de que su excitación no tenía ninguna justificación.

«Fue por consejo mío que Sir Charles se dispuso a ir a Londres. Su corazón estaba, lo sabía, afectado, y la constante ansiedad en la que vivía, por muy quimérica que fuera la causa de la misma, estaba teniendo evidentemente un grave efecto sobre su salud. Pensé que unos meses entre las distracciones de la ciudad le harían volver convertido en un hombre nuevo. El señor Stapleton, un amigo común muy preocupado por su estado de salud, era de la misma opinión. En el último instante se produjo esta terrible catástrofe.

«La noche de la muerte de Sir Charles, Barrymore, el mayordomo, que hizo el descubrimiento, me envió a Perkins, el mozo de cuadra, a caballo, y como yo estaba levantado hasta tarde pude llegar a Baskerville Hall una hora después del suceso. Comprobé y corroboré todos los hechos que se mencionaron en la investigación. Seguí las pisadas por el callejón de los tejos, vi el lugar en la puerta del páramo donde parecía haber esperado, observé el cambio en la forma de las huellas después de ese punto, observé que no había otras pisadas salvo las de Barrymore sobre la suave grava y, por último, examiné cuidadosamente el cadáver, que no había sido tocado hasta mi llegada. Sir Charles yacía boca abajo, con los brazos extendidos, los dedos clavados en el suelo y las facciones convulsionadas por alguna emoción fuerte hasta tal punto que difícilmente habría podido jurar su identidad. Ciertamente no había lesiones físicas de ningún tipo. Pero Barrymore hizo una declaración falsa en la investigación. Dijo que no había huellas en el suelo alrededor del cuerpo. Él no observó ninguna. Pero yo sí... a poca distancia, pero frescas y claras».

«¿Huellas de pisadas?».

«Huellas de pisadas».

«¿De un hombre o de una mujer?».

El Doctor Mortimer nos miró de forma extraña durante un instante, y su voz se hundió casi en un susurro al responder.

«¡Señor Holmes, eran las huellas de pisadas de un sabueso gigantesco!».

CAPÍTULO 3 – EL PROBLEMA

Confieso que al oír estas palabras me recorrió un escalofrío. Había un estremecimiento en la voz del doctor que demostraba que él mismo estaba profundamente conmovido por lo que nos contaba. Holmes se inclinó hacia delante en su excitación y sus ojos tenían el brillo duro y seco que salía de ellos cuando estaba vivamente interesado.

«¿Usted vio eso?».

«Tan claramente como lo veo a usted».

«¿Y usted no dijo nada?».

«¿De qué serviría?».

«¿Cómo es que nadie más lo vio?».

«Las marcas estaban a unas veinte yardas del cuerpo y nadie les dio importancia. Supongo que yo no lo habría hecho si no hubiera conocido esta leyenda».

«¿Hay muchos perros pastores en el páramo?».

«Sin duda, pero éste no era un perro pastor».

«¿Dice que era grande?».

«Enorme».

«¿Pero no se había acercado al cuerpo?».

«No».

«¿Qué tipo de noche era?».

«Húmeda y cruda».

«¿Pero de hecho no llovía?».

«No».

«¿Cómo es el callejón?».

«Hay dos líneas de seto de tejo viejo, de doce pies de alto e impenetrable. El paseo central tiene unos ocho pies de ancho».

«¿Hay algo entre los setos y el paseo?».

«Sí, hay una franja de hierba de unos seis pies de ancho a cada lado».

«¿Tengo entendido que el seto de tejos está atravesado en un punto por una puerta?».

«Sí, la puerta de paso que conduce al páramo».

«¿Hay alguna otra abertura?».

«Ninguna».

«¿Así que para llegar al callejón de los tejos hay que bajar por él desde la casa o entrar por la puerta del páramo?».

«Hay una salida a través de una casa de verano en el otro extremo».

«¿Sir Charles había llegado a ese punto?».

«No; yacía a unas cincuenta yardas de él».

«Ahora, dígame, Doctor Mortimer —y esto es importante—, ¿las marcas que vio estaban en el camino y no en la hierba?».

«No se pueden ver marcas en la hierba».

«¿Estaban en el mismo lado del camino que la puerta del páramo?».

«Sí; estaban al borde del camino en el mismo lado que la puerta del páramo».

«Usted me interesa sobremanera. Otra cuestión. ¿Estaba cerrada la puerta de paso?».

«Cerrada y con candado».

«¿Qué altura tiene?».

«Alrededor de cuatro pies de altura».

«¿Entonces cualquiera podría haberla saltado?».

«Sí».

«¿Y qué marcas vio junto a la puerta de paso?».

«Ninguna en particular».

«¡Santo cielo! ¿Nadie examinó?».

«Sí, yo mismo la examiné».

«¿Y no encontró nada?».

«Estaba todo muy confuso. Evidentemente, Sir Charles había estado parado allí durante cinco o diez minutos».

«¿Cómo sabe eso?».

«Porque la ceniza de su cigarro se había caído dos veces».

«¡Excelente! Este es un colega, Watson, como nosotros queremos. ¿Pero las marcas?».

«Había dejado sus propias marcas por todo ese pequeño tramo de grava. No pude distinguir otras».

Sherlock Holmes se golpeó la mano contra la rodilla en un gesto de impaciencia.

«¡Si hubiera estado allí!», exclamó. «Es evidentemente un caso de extraordinario interés, y que presentaba inmensas oportunidades al experto científico. Esa página de grava en la que podría haber leído tanto hace tiempo que está manchada por la lluvia y desfigurada por los zuecos de los campesinos curiosos. Oh, Doctor Mortimer, Doctor Mortimer, ¡podría pensar que no debería haberme llamado! En verdad tiene mucho por lo que responder».

«No podía llamarle, señor Holmes, sin revelar estos hechos al mundo, y ya he dado mis razones para no querer hacerlo. Además, además...».

«¿Por qué duda?».

«Hay un ámbito en el que el más agudo y experimentado de los detectives es impotente».

«¿Quiere decir que esa cosa es sobrenatural?».

«No lo afirmé positivamente».

«No, pero evidentemente usted lo piensa».

«Desde la tragedia, señor Holmes, han llegado a mis oídos varios incidentes difíciles de reconciliar con el orden establecido de la Naturaleza».

«¿Por ejemplo?».

«Me he enterado de que antes de que ocurriera el terrible suceso varias personas habían visto en el páramo una criatura que corresponde con este demonio de Baskerville, y que no podría ser ningún animal conocido por la ciencia. Todos coincidieron en que era una criatura enorme, luminosa, espantosa y espectral. He interrogado a estos hombres, uno de ellos un campesino de cabeza dura, otro un herrador y otro un granjero de los páramos, que cuentan todos la misma historia de esta espantosa aparición, que corresponde exactamente al sabueso infernal de la leyenda. Le aseguro que reina el terror en el distrito, y que es un hombre duro el que se anime a cruzar el páramo por la noche».

«¿Y usted, un hombre entrenado en la ciencia, cree que es sobrenatural?».

«No sé qué creer».

Holmes se encogió de hombros. «Hasta ahora he limitado mis investigaciones a este mundo», dijo. «De forma modesta he combatido el mal, pero enfrentarme al mismísimo Padre del Mal sería, quizá, una tarea demasiado ambiciosa. Sin embargo, debe usted admitir que la huella es material».

«El sabueso original era lo suficientemente material como para arrancarle la garganta a un hombre, pero también era diabólico».

«Veo que se ha pasado al lado de los sobrenaturalistas. Pero ahora, Doctor Mortimer, dígame esto. Si sostiene estas opiniones, ¿por qué ha venido a consultarme? Usted me dice en el mismo aliento que es inútil investigar la muerte de Sir Charles, y que desea que yo lo haga».

«No he dicho que deseara que lo hiciera».

«Entonces, ¿cómo puedo ayudarle?».

«Aconsejándome qué debo hacer con Sir Henry Baskerville, que llega a la estación de Waterloo», el Doctor Mortimer miró su reloj, «dentro de una hora y cuarto exactamente».

«¿Siendo él el heredero?».

«Sí. A la muerte de Sir Charles inquirimos por este joven caballero y descubrimos que se había dedicado a la agricultura en Canadá. Por los relatos que nos han llegado es una persona excelente en todos los sentidos. Hablo ahora no como médico sino como fideicomisario y albacea del testamento de Sir Charles».

«¿No hay ningún otro demandante, supongo?».

«Ninguno. El único otro pariente que hemos podido rastrear era Rodger Baskerville, el menor de tres hermanos de los que el pobre Sir Charles era el mayor. El segundo hermano, que murió joven, es el padre de este muchacho Henry. El tercero, Rodger, era la oveja negra de la familia. Procedía de la vieja cepa magistral de los Baskerville y era la viva imagen, según me cuentan, del retrato familiar del viejo Hugo. Consideró que Inglaterra se acaloraba demasiado como para retenerlo, huyó a América Central y murió allí en 1876 de fiebre amarilla. Henry es el último de los Baskerville. Dentro de una hora y cinco minutos me reuniré con él en la estación de Waterloo. Me han telegrafiado que ha llegado a Southampton esta mañana. Ahora, señor Holmes, ¿qué me aconseja que haga con él?».

«¿Por qué no ha de ir a su casa paterna?».

«Parece natural, ¿verdad? Y sin embargo, considere que cada Baskerville que va allí se encuentra con un mal destino. Estoy seguro de que si Sir Charles hubiera podido hablar conmigo antes de su muerte, me habría advertido que no llevara a éste, el último de la vieja raza y heredero de grandes riquezas, a ese lugar mortal. Y sin embargo, no se puede negar que la prosperidad de toda la pobre y sombría campiña depende de su presencia. Todo el buen trabajo que ha realizado Sir Charles se vendrá abajo si no hay un inquilino del Hall. Temo dejarme llevar demasiado por mi propio y evidente interés en el asunto, y por eso traigo el caso ante usted y le pido consejo».

Holmes reflexionó durante un rato.

«Dicho claramente, el asunto es éste», dijo él. «En su opinión, existe una agencia diabólica que hace de Dartmoor una morada insegura para un Baskerville... ¿esa es su opinión?».

«Al menos me atrevería a decir que hay algunas pruebas de que esto puede ser así».

«Exactamente. Pero seguramente, si su teoría sobrenatural es correcta, podría obrar el mal del joven en Londres tan fácilmente como en Devonshire. Un diablo con poderes meramente locales como la sacristía de una parroquia sería algo demasiado inconcebible».

«Expone usted el asunto con más ligereza, señor Holmes, de la que probablemente lo haría si estuviera en contacto personal con estas cosas. Su consejo, entonces, según tengo entendido, es que el joven estará tan seguro en Devonshire como en Londres. Llega dentro de cincuenta minutos. ¿Qué me recomendaría?».

«Le recomiendo, señor, que coja un taxi, despida a su spaniel que está arañando la puerta de mi casa, y se dirija a Waterloo para reunirse con Sir Henry Baskerville».

«¿Y entonces?».

«Y entonces no le dirá nada en absoluto a él hasta que yo haya tomado una decisión sobre el asunto».

«¿Cuánto tardará en tomar una decisión?».

«Veinticuatro horas. Mañana a las diez, Doctor Mortimer, le estaré muy agradecido si me visita aquí, y me será de ayuda en mis planes para el futuro si trae a Sir Henry Baskerville con usted».

«Así lo haré, señor Holmes». Garabateó la cita en el puño de su camisa y se apresuró a marcharse con su extraña manera de mirar, distraído. Holmes le detuvo en la cabecera de la escalera.

«Sólo una pregunta más, Doctor Mortimer. ¿Dice usted que antes de la muerte de Sir Charles Baskerville varias personas vieron esta aparición en el páramo?».

«Tres personas lo hicieron».

«¿Alguien lo vio después?».

«No he oído hablar de ninguno».

«Gracias. Que tenga un buen día».

Holmes volvió a su asiento con esa tranquila mirada de satisfacción interior que significaba que tenía ante sí una tarea agradable.

«¿Va a salir, Watson?».

«A menos que pueda ayudarle».

«No, mi querido amigo, es a la hora de la acción cuando acudo a usted en busca de ayuda. Pero esto es espléndido, realmente único desde algunos puntos de vista. Cuando pase por Bradley's, ¿podría pedirle que envíe una libra del tabaco más fuerte? Gracias. Sería conveniente que usted no regresara antes de la tarde. Entonces me encantaría comparar impresiones sobre este problema tan interesante que se nos ha planteado esta mañana».

Sabía que la reclusión y la soledad eran muy necesarias para mi amigo en aquellas horas de intensa concentración mental durante las cuales sopesaba cada partícula de prueba, construía teorías alternativas, comparaba unas frente a otras y se decidía sobre qué puntos eran esenciales y cuáles inmateriales. Por lo tanto, pasé el día en mi club y no regresé a Baker Street hasta la noche. Eran casi las nueve cuando me encontré de nuevo en el salón.

Mi primera impresión al abrir la puerta fue que se había declarado un incendio, pues la habitación estaba tan llena de humo que la luz de la lámpara que había sobre la mesa se veía empañada por él. Al entrar, sin embargo, mis temores se disiparon, pues fueron los vapores acres de un fuerte tabaco áspero los que me atenazaron la garganta y me hicieron toser. A través de la bruma tuve una vaga visión de Holmes en bata arrellanado en un sillón con su pipa de arcilla negra entre los labios. Varios rollos de papel yacían a su alrededor.

«¿Se ha resfriado, Watson?», dijo él.

«No, es esta atmósfera venenosa».

«Supongo que es bastante espesa, ahora que lo menciona».

«¡Espesa! Es intolerable».

«¡Abra la ventana, entonces! Ha estado en su club todo el día, según percibo».

«¡Mi querido Holmes!».

«¿Estoy en lo cierto?».

«Ciertamente, pero ¿cómo...?».

Se rió ante mi expresión de desconcierto. «Hay una deliciosa frescura en usted, Watson, que hace que sea un placer ejercer los pequeños poderes que poseo a su costa. Un caballero sale en un día lluvioso y cenagoso. Regresa inmaculado por la tarde con el brillo aún en su sombrero y sus botas. Ha estado, por tanto, fijo en un lugar todo el día. No es un hombre con amigos íntimos. ¿Dónde, pues, ha podido estar? ¿No es evidente?».

«Bueno, es bastante obvio».

«El mundo está lleno de cosas obvias que nadie por casualidad observa. ¿Dónde cree que yo he estado?».

«Fijo en un lugar también».

«Al contrario, he estado en Devonshire».

«¿En espíritu?».

«Exactamente. Mi cuerpo ha permanecido en este sillón y, lamento observar, ha consumido en mi ausencia dos grandes jarras de café y una increíble cantidad de tabaco. Después de que usted se marchara envié a Stamford's a por el mapa de la Ordenanza de esta parte del páramo, y mi espíritu ha rondado sobre él todo el día. Me halago de poder encontrar el camino».

«¿Un mapa a gran escala, supongo?».

«Muy grande».

Desenrolló una sección y la sostuvo sobre su rodilla. «Aquí tiene el distrito concreto que nos concierne. En el centro está Baskerville Hall».

«¿Con un bosque alrededor?».

«Exactamente. Me imagino que el callejón de los tejos, aunque no está marcado con ese nombre, debe extenderse a lo largo de esta línea, con el páramo, como usted percibe, a la derecha del mismo. Este pequeño grupo de edificios de aquí es la aldea de Grimpen, donde nuestro amigo el Doctor Mortimer tiene su cuartel general. En un radio de cinco millas sólo hay, como ve, unas pocas viviendas dispersas. Aquí está Lafter Hall, mencionada en la narración. Aquí se indica una casa que puede ser la residencia del naturalista... Stapleton, si no recuerdo mal, era su nombre. Aquí hay dos granjas en el páramo, High Tor y Foulmire. A continuación, a catorce millas, la gran prisión de convictos de Princetown. Entre y alrededor de estos puntos dispersos se extiende el páramo desolado y sin vida. Este es, pues, el escenario en el que se ha representado la tragedia, y en el que podemos ayudar a representarla de nuevo».

«Debe de ser un lugar salvaje».

«Sí, el escenario es digno. Si el diablo deseara tener una mano en los asuntos de los hombres...».

«Entonces usted mismo se inclina por la explicación sobrenatural».

«Los agentes del diablo pueden ser de carne y hueso, ¿no es así? Hay dos preguntas que nos están esperando desde el principio. La primera es si se ha cometido algún crimen en absoluto; la segunda es, ¿cuál es el crimen y cómo se cometió? Por supuesto, si la conjetura del Doctor Mortimer es correcta, y estamos tratando con fuerzas fuera de las leyes ordinarias de la Naturaleza, ahí termina nuestra investigación. Pero estamos obligados a agotar todas las demás hipótesis antes de recurrir a ésta. Creo que volveremos a cerrar esa ventana, si no le importa. Es algo singular, pero encuentro que una atmósfera concentrada ayuda a la concentración del pensamiento. No he llegado al extremo de meterme en una caja para pensar, pero es el resultado lógico de mis convicciones. ¿Le ha dado vueltas al caso en su mente?».

«Sí, he pensado mucho en ello a lo largo del día».

«¿Qué le parece?».

«Es muy desconcertante».

«Tiene sin duda un carácter propio. Tiene puntos de distinción. Ese cambio en las huellas, por ejemplo. ¿Qué opina de eso?».

«Mortimer dijo que el hombre había caminado de puntillas por esa parte del callejón».

«Sólo repitió lo que algún tonto había dicho en la investigación. ¿Por qué debería un hombre caminar de puntillas por el callejón?».

«¿Y sino qué?».

«Corría, Watson... corría desesperadamente, corría por su vida, corría hasta que le estalló el corazón... y cayó muerto de bruces».

«¿Huyendo de qué?».

«Ahí radica nuestro problema. Hay indicios de que el hombre estaba enloquecido de miedo antes de empezar a correr».

«¿Cómo puede decir eso?».

«Supongo que la causa de sus temores le llegó a través del páramo. Si así fuera, y parece lo más probable, sólo un hombre que hubiera perdido el juicio habría huido de la casa en vez de hacia ella. Si la evidencia del gitano puede tomarse como cierta, corrió con gritos de auxilio en la dirección donde era menos probable que hubiera ayuda. Entonces, de nuevo, ¿a quién esperaba aquella noche y por qué le esperaba en el callejón de los tejos en lugar de en su propia casa?».

«¿Cree que estaba esperando a alguien?».

«El hombre era anciano y estaba enfermo. Podemos entender que diera un paseo vespertino, pero el suelo estaba húmedo y la noche era inclemente. ¿Es natural que permaneciera de pie durante cinco o diez minutos, como el Doctor Mortimer, con más sentido práctico del que yo le hubiera dado crédito, dedujo de la ceniza del cigarro?».

«Pero salía todas las tardes».

«Me parece poco probable que esperara en la puerta del páramo todas las noches. Al contrario, la evidencia es que evitaba el páramo. Esa noche esperó allí. Fue la noche anterior a su partida hacia Londres. La cosa toma forma, Watson. Se vuelve coherente. Permítame que le pida que me entregue mi violín, y pospondremos cualquier otra reflexión sobre este asunto hasta que hayamos tenido la ventaja de reunirnos con el Doctor Mortimer y Sir Henry Baskerville por la mañana».

CAPÍTULO 4 – SIR HENRY BASKERVILLE

La mesa del desayuno fue recogida temprano y Holmes esperó en bata la entrevista prometida. Nuestros clientes acudieron puntuales a la cita, pues el reloj acababa de dar las diez cuando se presentó el doctor Mortimer, seguido del joven baronet. Este último era un hombre pequeño, despierto y de ojos oscuros, de unos treinta años, de constitución muy robusta, con espesas cejas negras y un rostro fuerte y pugnaz. Vestía un traje de tweed teñido de color rojizo y tenía el aspecto curtido de quien ha pasado la mayor parte del tiempo al aire libre y, sin embargo, había algo en su mirada firme y en la tranquila seguridad de su porte que indicaban al caballero.

«Este es Sir Henry Baskerville», dijo el Doctor Mortimer.

«Pues sí», dijo él, «y lo extraño es, señor Sherlock Holmes, que si mi amigo aquí presente no me hubiera propuesto venir a verle esta mañana yo habría venido por mi cuenta. Tengo entendido que usted piensa en pequeños enigmas, y esta mañana he tenido uno que necesita más reflexión de la que yo soy capaz de darle».

«Por favor, tome asiento, Sir Henry. ¿Le he entendido decir que usted mismo ha tenido alguna experiencia notable desde que llegó a Londres?».

«Nada de mucha importancia, señor Holmes. Sólo una broma, o tal vez no. Fue esta carta, si se le puede llamar carta, que me llegó esta mañana».

Puso un sobre sobre la mesa y todos nos inclinamos sobre el mismo. Era de calidad común, de color grisáceo. La dirección, «Sir Henry Baskerville, Hotel Northumberland», estaba escrita en caracteres toscos; el matasellos, «Charing Cross», y la fecha de envío, la noche anterior.

«¿Quién sabía que iba a ir al hotel Northumberland?», preguntó Holmes, dirigiendo una aguda mirada a nuestro visitante.

«Nadie podía saberlo. Sólo lo decidimos después de que yo conociera al Doctor Mortimer».

«¿Pero el Doctor Mortimer sin duda ya estaba parando allí?».

«No, me había quedado con un amigo», dijo el médico.

«No había ningún indicio posible de que tuviéramos intención de ir a este hotel».

«¡Hum! Parece que alguien está muy interesado en sus movimientos». Del sobre sacó media hoja de papel de aluminio doblada en cuatro. La abrió y la extendió sobre la mesa. En el centro de la misma había una única frase formada por el expediente de pegar sobre ella palabras impresas. Decía así:

Si usted valora su vida o su razón es mejor que se mantenga alejado del páramo.

Sólo la palabra «páramo» estaba impresa en tinta.

«Ahora», dijo Sir Henry Baskerville, «¿quizá pueda decirme, señor Holmes, qué rayos significa eso y quién es el que se interesa tanto por mis asuntos?».

«¿Qué piensa de ello, Doctor Mortimer? ¿Debe admitir que no hay nada sobrenatural en esto, en todo caso?».

«No, señor, pero podría muy bien venir de alguien convencido de que el asunto es sobrenatural».

«¿Qué asunto?», preguntó bruscamente Sir Henry. «Me parece que todos ustedes, caballeros, saben mucho más que yo sobre mis propios asuntos».

«Compartirá nuestros conocimientos antes de abandonar esta habitación, Sir Henry. Se lo prometo», dijo Sherlock Holmes. «Nos limitaremos por el momento, con su permiso, a este interesantísimo documento, que debió de ser redactado y enviado por correo ayer por la tarde. ¿Tiene usted el *Times* de ayer, Watson?».

«Está aquí, en el rincón».

«¿Podría pedirle... la página interior, por favor, con los artículos principales?». Le echó un rápido vistazo, recorriendo las columnas con los ojos. «Artículo capital este sobre el libre comercio. Permítame darle un extracto del mismo.

Se le puede engañar a usted haciéndole creer es mejor para su propio comercio especializado o su propia industria tener un arancel protector, pero la razón nos dice que tal legislación hará que se mantenga alejado de la riqueza de este país, disminuya cómo se valora nuestra importación y rebaje las condiciones generales de vida en esta isla».

«¿Qué le parece, Watson?», exclamó Holmes con gran regocijo, frotándose las manos con satisfacción. «¿No le parece un sentimiento admirable?».

El Doctor Mortimer miró a Holmes con un aire de interés profesional y Sir Henry Baskerville dirigió hacia mí un par de desconcertados ojos oscuros.

«No sé mucho sobre aranceles y cosas de ese tipo», dijo, «pero me parece que nos hemos desviado un poco del camino en lo que respecta a esa nota».

«Al contrario, creo que estamos particularmente siguiendo la pista,

Sir Henry. Aquí Watson sabe más de mis métodos que usted, pero me temo que ni siquiera él ha captado del todo el significado de esta frase».

«No, confieso que no veo ninguna conexión».

«Y sin embargo, mi querido Watson, hay una conexión tan estrecha que la una se extrae de la otra. "usted", "su", "su", "vida", "razón", "valora", "se mantenega alejado", "de este". ¿No ve ahora de dónde se han sacado estas palabras?».

«¡Rayos, tienes razón! Vaya, ¡qué inteligente!», gritó Sir Henry.

«Si quedaba alguna duda posible, queda zanjada por el hecho de que "se mantenga alejado" y "de este" están recortadas en una sola pieza».

«¡Bueno... pues así es!».

«Realmente, señor Holmes, esto supera todo lo que yo hubiera podido imaginar», dijo el Doctor Mortimer, mirando a mi amigo con asombro. «Podría entender que alguien dijera que las palabras procedían de un periódico; pero que usted dijera cuál, y añadiera que procedía del artículo principal, es realmente una de las cosas más notables que he conocido. ¿Cómo lo hizo?».

«Supongo, doctor, que podría distinguir el cráneo de un negro del de un esquimal».

«Sin duda».

«¿Pero cómo?».

«Porque esa es mi afición especial. Las diferencias son evidentes. La cresta supraorbitaria, el ángulo facial, la curva maxilar, el...».

«Pero ésta es mi afición especial, y las diferencias son igualmente obvias. A mis ojos, hay tanta diferencia entre el tipo burgués plomado de un artículo del *Times* y la impresión desaliñada de un periódico vespertino de medio penique como podría haber entre su negro y su esquimal. La detección de tipos es una de las ramas más elementales del conocimiento para el experto especial en crímenes, aunque confieso que una vez, cuando era muy joven, confundí el *Leeds Mercury* con el *Western Morning News*. Pero un artículo principal del *Times* es totalmente distintivo, y estas palabras no podrían haber sido tomadas de ningún otro periódico. Como el mensaje fue compuesto ayer la fuerte probabilidad era que encontráramos las palabras en la edición de ayer».

«Por lo que puedo seguirle, entonces, señor Holmes», dijo Sir Henry Baskerville, «alguien recortó este mensaje con unas tijeras...».

«Tijeras de uñas», dijo Holmes. «Se ve que era una tijera de hoja muy corta, ya que el cortador tuvo que dar varios tijeretazos sobre "se mantenga alejado"».

«Así es. Alguien, entonces, recortó el mensaje con unas tijeras de hoja corta, lo pegó con engrudo...».

«Goma», dijo Holmes.

«Con goma sobre el papel. Pero quiero saber por qué había que escribir la palabra "páramo"».

«Porque quien lo hizo no pudo encontrarla impresa. Las otras palabras eran todas sencillas y podrían encontrarse en cualquier edición, pero "páramo" sería menos común».

«Por supuesto, eso lo explicaría. ¿Ha leído algo más en este mensaje, señor Holmes?».

«Hay uno o dos indicios, pero se han tomado las máximas precauciones para eliminar todas las pistas. La dirección, observará usted, está escrita en caracteres toscos. Pero el *Times* es un periódico que rara vez se encuentra en otras manos que no sean las de personas muy educadas. Podemos suponer, por tanto, que la carta fue compuesta por un hombre educado que deseaba hacerse pasar por uno no educado, y su esfuerzo por ocultar su propia escritura sugiere que esa escritura podría ser conocida, o llegar a ser conocida, por usted. De nuevo, observará que las palabras no están engomadas en una línea exacta, sino que algunas están mucho más altas que otras. "Vida", por ejemplo, está bastante fuera de su lugar. Eso puede apuntar a descuido o puede apuntar a agitación y prisa por parte del cortador. En conjunto me inclino por esta última opinión, ya que el asunto era evidentemente importante y es poco probable que el autor de una carta así fuera descuidado. Si tenía prisa, se abre la interesante cuestión de por qué debía tener prisa, ya que cualquier carta enviada hasta primera hora de la mañana llegaría a Sir Henry antes de que saliera de su hotel. ¿Temía el redactor una interrupción... y de quién?».

«Ahora estamos entrando más bien en la región de las conjeturas», dijo el Doctor Mortimer.

«Digamos, más bien, en la región en la que sopesamos las probabilidades y elegimos la más probable. Es el uso científico de la imaginación, pero siempre tenemos alguna base material sobre la que empezar nuestra especulación. Ahora, usted lo llamaría una conjetura, sin duda, pero estoy casi seguro de que esta dirección ha sido escrita en un hotel».

«¿Cómo demonios puedes decir eso?».

«Si lo examina detenidamente verá que tanto la pluma como la tinta han dado problemas al escritor. La pluma ha salpicado dos veces en una sola palabra y se ha secado tres veces en una breve frase, lo que demuestra que había muy poca tinta en el frasco. Ahora bien, rara vez se permite que una pluma o un frasco de tinta privados se encuentren en tal estado, y la combinación de ambos debe de ser bastante rara. Pero ya conoce la tinta de los hoteles y las plumas de los hoteles, donde es raro conseguir otra cosa. Sí, dudo muy poco en afirmar que si examináramos las papeleras de los hoteles de los alrededores de Charing Cross hasta encontrar los restos del artículo líder mutilado del *Times* podríamos poner las manos directamente sobre la persona que envió este singular mensaje. ¡Vaya! ¡Vaya! ¿Qué es esto?».

Estaba examinando cuidadosamente la hoja de papel de aluminio, sobre la que estaban pegadas las palabras, sosteniéndola sólo a una o dos pulgadas de sus ojos.

«¿Y bien?».

«Nada», dijo él, tirándola. «Es una media hoja de papel en blanco, sin siquiera una marca de agua en ella. Creo que hemos sacado todo lo que hemos podido de esta curiosa carta; y ahora, Sir Henry, ¿le ha ocurrido algo más de interés desde que está en Londres?».

«Pues no, señor Holmes. Creo que no».

«¿No ha observado que nadie le siga o le vigile?».

«Parece que me he metido de lleno en una novela de diez peniques», dijo nuestro visitante. «¿Por qué rayos debería alguien seguirme o vigilarme?».

«Estamos llegando a eso. ¿No tiene nada más que informarnos antes de que entremos en materia?».

«Bueno, depende de lo que crea que merece la pena informar».

«Creo que cualquier cosa que se salga de la rutina ordinaria de la vida bien merece ser reportada».

Sir Henry sonrió. «Aún no conozco mucho de la vida británica, pues he pasado casi todo mi tiempo en Estados Unidos y en Canadá. Pero espero que perder una de sus botas no forme parte de la rutina ordinaria de la vida aquí».

«¿Ha perdido una de sus botas?».

«Mi querido señor», exclamó el Doctor Mortimer, «sólo se ha extraviado. La encontrará cuando regrese al hotel. ¿Qué sentido tiene molestar al señor Holmes con nimiedades de este tipo?».

«Bueno, él me pidió cualquier cosa fuera de la rutina ordinaria».

«Exactamente», dijo Holmes, «por tonto que parezca el incidente. ¿Ha perdido una de sus botas, dice?».

«Bueno, la extravié, en cualquier caso. Anoche puse las dos fuera de mi puerta y por la mañana sólo había una. No pude hacer entrar en razón al tipo que las limpia. Lo peor de todo es que compré el par anoche en el Strand, y nunca me las he puesto».

«Si nunca se las había puesto, ¿por qué las puso a limpiar?».

«Eran botas de color canela y nunca habían sido barnizadas. Por eso las saqué».

«Entonces, ¿tengo entendido que a su llegada a Londres ayer salió de inmediato y se compró un par de botas?».

«Hice una buena cantidad de compras. El Doctor Mortimer me acompañó. Verá, si voy a ser terrateniente allí debo vestirme como tal, y puede que me haya descuidado un poco en mis costumbres en el Oeste. Entre otras cosas compré estas botas pardas —pagué seis dólares por ellas— y me robaron una antes de ponérmelas en los pies».

«Parece una cosa singularmente inútil para robar», dijo Sherlock Holmes. «Confieso que comparto la creencia del Doctor Mortimer de que no pasará mucho tiempo antes de que se encuentre la bota desaparecida».

«Y, ahora, caballeros», dijo el baronet con decisión, «me parece que ya he hablado bastante sobre lo poco que sé. Ya es hora de que cumplan su promesa y me den una explicación completa de lo que nos traemos entre manos».

«Su petición es muy razonable», respondió Holmes. «Doctor Mortimer, creo que no podría hacerlo mejor que contando su historia tal y como nos la contó a nosotros».

Así animado, nuestro amigo científico sacó sus papeles del bolsillo y expuso todo el caso como lo había hecho la mañana anterior. Sir Henry Baskerville escuchó con la más profunda atención y con alguna que otra exclamación de sorpresa.

«Bueno, parece que he recibido una herencia con una venganza», dijo cuando terminó la larga narración. «Por supuesto, he oído hablar del sabueso desde que estaba en la guardería. Es la historia de mascotas de la familia, aunque nunca se me había ocurrido tomármela en serio. Pero en cuanto a la muerte de mi tío... bueno, todo parece bullir en mi cabeza y aún no consigo aclararlo. No parece haberse decidido del todo si es un caso para un policía o para un clérigo».

«Precisamente».

«Y ahora está el asunto de la carta para mí en el hotel. Supongo que eso encaja en su lugar».

«Parece demostrar que alguien sabe más que nosotros sobre lo que ocurre en el páramo», dijo el Doctor Mortimer.

«Y también», dijo Holmes, «que alguien no está mal dispuesto hacia usted, ya que le advierte del peligro».

«O puede ser que deseen, para sus propios fines, ahuyentarme».

«Bueno, por supuesto, eso también es posible. Estoy muy en deuda con usted, Doctor Mortimer, por presentarme un problema que presenta varias alternativas interesantes. Pero el punto práctico que ahora tenemos que decidir, Sir Henry, es si es o no aconsejable que usted vaya a Baskerville Hall».

«¿Por qué no debería ir?».

«Parece que hay peligro».

«¿Se refiere al peligro de este demonio familiar o al peligro de los seres humanos?».

«Bueno, eso es lo que tenemos que averiguar».

«Cualquiera que sea, mi respuesta está decidida. No hay diablo en el infierno, señor Holmes, y no hay hombre sobre la tierra que pueda impedirme ir al hogar de mi propia gente, y puede considerar que ésa es mi respuesta definitiva». Sus oscuras cejas se fruncieron y su rostro se ruborizó hasta adquirir un color rojo oscuro mientras hablaba. Era evidente que el fogoso temperamento de los Baskerville no se había extinguido en este su último representante. «Mientras tanto», dijo él, «apenas he tenido tiempo de pensar en todo lo que me ha contado. Es mucho para un hombre tener que entender y decidir de una sentada. Me gustaría tener una hora tranquila a solas para decidirme. Mire, señor Holmes, ya son las once y media y vuelvo enseguida a mi hotel. Supongamos que usted y su amigo, el Doctor Watson, vienen a comer con nosotros a las dos. Entonces podré decirle con más claridad cómo me afecta este asunto».

«¿Le conviene, Watson?».

«Perfectamente».

«Entonces cuente con nosotros. ¿Pido que llamen a un taxi?».

«Preferiría caminar, pues este asunto me ha inquietado bastante».

«Me uniré a usted en un paseo, con mucho gusto», dijo su compañero.

«Entonces nos volvemos a ver a las dos. *Au revoir*, ¡y que tengan unos buenos días!».

Oímos los pasos de nuestros visitantes bajar la escalera y el golpe de la puerta principal. En un instante Holmes había cambiado del lánguido soñador al hombre de acción.

«¡Su sombrero y sus botas, Watson, rápido! ¡Ni un momento que perder!». Se apresuró a entrar en su habitación en bata y volvió en unos segundos con un abrigo. Nos dirigimos juntos escaleras abajo y a la calle. El Doctor Mortimer y Baskerville aún podían verse a unas doscientas yardas por delante de nosotros, en dirección a Oxford Street.

«¿Corro a detenerlos?».

«Por nada del mundo, mi querido Watson. Estoy perfectamente satisfecho con su compañía si usted tolera la mía. Nuestros amigos son sabios, porque ciertamente es una mañana muy buena para pasear».

Aceleró el paso hasta que hubimos reducido la distancia que nos separaba aproximadamente a la mitad. Entonces, manteniéndonos aún cien yardas por detrás, seguimos hasta Oxford Street y así hasta Regent Street. Una vez nuestros amigos se detuvieron y miraron fijamente el escaparate de una tienda, ante lo cual Holmes hizo lo mismo. Un instante después él lanzó un pequeño grito de satisfacción y, siguiendo la dirección de sus ávidos ojos, vi que un taxi con un hombre dentro que se había detenido al otro lado de la calle avanzaba ahora de nuevo lentamente.

«¡Ahí está nuestro hombre, Watson! ¡Venga! Le echaremos un buen vistazo, si no podemos hacer más».

En ese instante fui consciente de que una poblada barba negra y un par de ojos penetrantes se volvían hacia nosotros a través de la ventanilla lateral del taxi. Al instante, la trampilla de la parte superior se levantó, le gritaron algo al conductor y el taxi salió volando enloquecido por Regent Street. Holmes miró ansiosamente a su alrededor en busca de otro, pero no había ninguno vacío a la vista. Entonces se lanzó en salvaje persecución entre la corriente del tráfico, pero la acometida había sido demasiado rápida y el taxi ya se había perdido de vista.

«¡Ya está!», dijo amargamente Holmes al salir jadeante y blanco de disgusto de la marea de vehículos. «¿Hubo alguna vez tan mala suerte y también tan mala gestión? Watson, Watson, si es usted un hombre honrado, ¡registre esto también y póngalo en contra de mis éxitos!».

«¿Quién era el hombre?».

«No tengo ni idea».

«¿Un espía?».

«Bueno, era evidente por lo que hemos oído que Baskerville ha sido seguido muy de cerca por alguien desde que está en la ciudad. ¿Cómo si no se pudo saber tan rápidamente que era el hotel Northumberland el que había elegido? Si le habían seguido el primer día yo sostenía que le seguirían también el segundo. Habrá observado que me acerqué dos veces a la ventana mientras el Doctor Mortimer leía su leyenda».

«Sí, lo recuerdo».

«Estaba atento por si había vagabundos en la calle, pero no vi a ninguno. Estamos ante un hombre inteligente, Watson. Este asunto cala muy hondo, y aunque finalmente no me he decidido si es una agencia benévola o malévola la que está en contacto con nosotros, soy consciente en todo momento del poder y del designio. Cuando nuestros amigos se marcharon, les seguí de inmediato con la esperanza de localizar a su acompañante invisible. Tan astuto era que no se había fiado de sí mismo a pie, sino que se había valido de un taxi para poder merodear detrás de ellos o pasar corriendo y escapar así a su atención. Su método tenía la ventaja adicional de que si ellos tomaban un taxi él estaba preparado para seguirlos. Tiene, sin embargo, una desventaja obvia».

«Lo pone en poder del taxista».

«Exactamente».

«¡Qué lástima no haber conseguido el número!».

«Mi querido Watson, torpe como he sido, ¿seguro que no se imagina en serio que me he olvidado de tomar el número? El nº 2704 es nuestro hombre. Pero eso no nos sirve de nada por el momento».

«No veo cómo podría usted haber hecho más».

«Al observar el taxi debería haberme dado la vuelta al instante y haber caminado en la otra dirección. Entonces, tranquilamente, habría tomado un segundo taxi y seguido al primero a una distancia respetuosa o, mejor aún, habría conducido hasta el hotel Northumberland y esperado allí. Cuando nuestro desconocido hubiera seguido a Baskerville hasta su lugar de residencia, habríamos tenido la oportunidad de jugar su propio juego y ver hacia dónde se dirigía. Así las cosas, por un indiscreto afán, que fue aprovechado con extraordinaria rapidez y energía por nuestro adversario, nos hemos traicionado a nosotros mismos y hemos perdido a nuestro hombre».

Habíamos estado paseando lentamente por Regent Street durante esta conversación, y el Doctor Mortimer, con su acompañante, hacía tiempo que había desaparecido delante de nosotros.

«No tiene sentido que les sigamos», dijo Holmes. «La sombra se ha marchado y no volverá. Debemos ver qué otras cartas tenemos en nuestras manos y jugarlas con decisión. ¿Podría jurar por la cara de ese hombre dentro del taxi?».

«Sólo podría jurar por la barba».

«Y yo también... de lo que deduzco que con toda probabilidad era falsa. Un hombre inteligente con un encargo tan delicado no necesita barba más que para ocultar sus rasgos. ¡Entre aquí, Watson!».

Se dirigió a una de las oficinas de mensajería del distrito, donde fue recibido calurosamente por el encargado.

«Ah, Wilson, veo que no ha olvidado el pequeño caso en el que tuve la suerte de ayudarle...».

«No, señor, desde luego que no. Usted salvó mi buen nombre, y tal vez mi vida».

«Mi querido amigo, usted exagera. Recuerdo, Wilson, que usted tenía entre sus muchachos a uno llamado Cartwright, que demostró cierta habilidad durante la investigación».

«Sí, señor, sigue con nosotros».

«¿Podría llamarle? ¡Gracias! Y me complacería tener cambio de este billete de cinco libras».

Un muchacho de catorce años, con un rostro brillante y agudo, había obedecido la llamada del encargado. Ahora contemplaba con gran reverencia al famoso detective.

«Deme el directorio de hoteles», dijo Holmes. «¡Gracias! Bien, Cartwright, aquí están los nombres de veintitrés hoteles, todos en las inmediaciones de Charing Cross. ¿Lo ve?».

«Sí, señor».

«Visitará cada una de estos por turno».

«Sí, señor».

«Empezará en cada caso dando al portero exterior un chelín. Aquí tiene veintitrés chelines».

«Sí, señor».

«Le dirá que quiere ver la papelera de ayer. Le dirá que un telegrama importante se ha extraviado y que lo está buscando. ¿Entendido?».

«Sí, señor».

«Pero lo que realmente busca es la página central del *Times* con algunos agujeros cortados con tijeras. Aquí tiene un ejemplar del *Times*. Es esta página. Podría reconocerla fácilmente, ¿verdad?».

«Sí, señor».

«En cada caso, el portero exterior mandará llamar al portero de la sala, al que también dará un chelín. Aquí tiene veintitrés chelines. Entonces se enterará, posiblemente en veinte casos de los veintitrés, de que los desperdicios del día anterior han sido quemados o retirados. En los otros tres casos se le mostrará un montón de papel y buscará entre él esta página del *Times*. Las probabilidades están enormemente en contra de que lo encuentre. Hay diez chelines de más en caso de emergencia. Que me informen por cable en Baker Street antes del anochecer. Y ahora, Watson, sólo nos queda averiguar por cable la identidad del taxista, el nº 2704, y luego nos dejaremos caer por una de las pinacotecas de Bond Street y rellenaremos el tiempo hasta que lleguemos al hotel».

CAPÍTULO 5 — TRES HILOS ROTOS

Sherlock Holmes tenía, en un grado muy notable, el poder de desprender su mente a voluntad. Durante dos horas pareció olvidar el extraño asunto en el que nos habíamos visto envueltos y se quedó totalmente absorto en los cuadros de los modernos maestros belgas. No habló de otra cosa que de arte, del que tenía las ideas más crudas, desde que salimos de la galería hasta que nos encontramos en el hotel Northumberland.

«Sir Henry Baskerville está arriba esperándole», dijo el empleado. «Me pidió que le hiciera subir en cuanto llegara».

«¿Tiene alguna objeción a que mire su registro?», dijo Holmes.

«En absoluto».

El libro mostraba que se habían añadido dos nombres después del de Baskerville. Uno era Theophilus Johnson y familia, de Newcastle; el otro la señora Oldmore y criada, de High Lodge, Alton.

«Seguramente debe de ser el mismo Johnson que yo conocí», dijo Holmes al portero. «Un abogado, ¿no es así, de cabeza gris y que camina cojeando?».

«No, señor, es el señor Johnson, el carbonero, un caballero muy activo, no mayor que usted».

«¿Seguro que se equivoca sobre su oficio?».

«¡No, señor! Ha utilizado este hotel durante muchos años y lo conocemos muy bien».

«Ah, eso lo resuelve. La señora Oldmore también; me parece recordar el nombre. Disculpe mi curiosidad, pero a menudo al invocar a un amigo uno encuentra a otro».

«Es una dama inválida, señor. Su marido fue una vez alcalde de Gloucester. Siempre viene a vernos cuando está en la ciudad».

«Gracias; me temo que no puedo afirmar que la conozca. Hemos establecido un hecho muy importante con estas preguntas, Watson», continuó en voz baja mientras subíamos juntos. «Ahora sabemos que las personas que tanto se interesan por nuestro amigo no se han instalado en su propio hotel. Eso significa que aunque están, como hemos visto, muy ansiosos por vigilarle, están igualmente ansiosos de que él no les vea a ellos. Este es un hecho de lo más sugestivo».

«¿Qué sugiere eso?».

«Eso sugiere... oiga, mi querido amigo, ¿qué demonios pasa?».

Al llegar al final de la escalera nos habíamos topado con el mismísimo

Sir Henry Baskerville. Su rostro estaba enrojecido por la ira y sostenía una vieja y polvorienta bota en una de sus manos. Tan furioso estaba que apenas articulaba palabra, y cuando hablaba lo hacía en un dialecto mucho más verborrágico y más del Oeste que cualquiera de los que le habíamos oído por la mañana.

«Me parece que me están tomando el pelo en este hotel», gritó. «Descubrirán que se han metido con el hombre equivocado si no tienen cuidado. ¡Rayos!, si ese tipo no encuentra mi bota perdida habrá problemas. Puedo aguantar una broma con los mejores, señor Holmes, pero esta vez se han pasado un poco».

«¿Sigue buscando su bota?».

«Sí, señor, y pienso encontrarla».

«Pero, sin duda, usted dijo que era una bota marrón nueva».

«Así era, señor. Y ahora es una vieja bota negra».

«¡Qué! ¿No querrá decir...?».

«Eso es justo lo que quiero decir. Sólo tenía tres pares en el mundo: las nuevas marrones, las viejas negras y las de charol, que llevo puestas. Anoche me quitaron una de los marrones, y hoy me han escamoteado una de los negros. Bueno, ¿la tiene? Hable, hombre, y no se quede mirando».

Un agitado camarero alemán había aparecido en escena.

«No, señor; he indagado por todo el hotel, pero no he oído ni una palabra».

«Bueno, o esa bota vuelve antes del atardecer o veré al gerente y le diré que me voy directamente de este hotel».

«Se encontrará, señor... le prometo que si tiene un poco de paciencia se encontrará».

«Claro que sí, pues es lo último mío que perderé en esta cueva de ladrones. Bueno, bueno, señor Holmes, disculpará que le moleste por semejante nimiedad...».

«Creo que merece la pena preocuparse por ello».

«Vaya, parece usted muy serio al respecto».

«¿Cómo lo explica?».

«Simplemente no intento explicarlo. Me parece la cosa más loca y extraña que me ha pasado nunca».

«La más extraña quizá...», dijo Holmes pensativo.

«¿Qué opina usted al respecto?».

«Bueno, aún no profeso entenderlo. Este caso suyo es muy complejo, Sir Henry. Cuando se toma en conjunto con la muerte de su tío no estoy seguro de que de todos los quinientos casos de importancia capital que he manejado haya uno que cale tan hondo. Pero tenemos varios hilos en nuestras manos, y lo más probable es que uno u otro nos guíe hacia la verdad. Podemos perder tiempo en seguir el equivocado, pero tarde o temprano daremos con el correcto».

Tuvimos un agradable almuerzo en el que se habló poco del asunto que nos había reunido. Fue en el salón privado al que nos dirigimos después cuando Holmes preguntó a Baskerville cuáles eran sus intenciones.

«Ir a Baskerville Hall».

«¿Y cuándo?».

«A finales de semana».

«En conjunto», dijo Holmes, «creo que su decisión es acertada. Tengo sobradas pruebas de que usted está siendo perseguido en Londres, y entre los millones de habitantes de esta gran ciudad es difícil descubrir quiénes son esas personas o cuál puede ser su objetivo. Si sus intenciones son malas, podrían hacerle daño, y nosotros seríamos impotentes para evitarlo. ¿No sabía, Doctor Mortimer, que le habían seguido esta mañana desde mi casa?».

El Doctor Mortimer se sobresaltó violentamente. «¡Seguido! ¿Por quién?».

«Eso, desgraciadamente, es lo que no puedo decirle. ¿Tiene entre sus vecinos o conocidos de Dartmoor algún hombre con barba negra y poblada?».

«No... o, déjeme ver... por qué, sí. Barrymore, el mayordomo de Sir Charles, es un hombre con una poblada barba negra».

«¡Ha! ¿Dónde está Barrymore?».

«Está a cargo del Hall».

«Será mejor que averigüemos si realmente está allí, o si por casualidad puede estar en Londres».

«¿Cómo puede hacer eso?».

«Deme un formulario telegráfico. "¿Está todo listo para Sir Henry?". Con eso bastará. Dirigido al señor Barrymore, Baskerville Hall. ¿Cuál es la oficina de telégrafos más cercana? Grimpen. Muy bien, enviaremos un segundo telegrama al jefe de correos, Grimpen: "Telegrama al señor Barrymore para ser entregado en su propia mano. Si está ausente, por favor devuelva el telegrama a Sir Henry Baskerville, hotel Northumberland". Eso nos permitirá saber antes de la noche si Barrymore está o no en su puesto en Devonshire».

«Así es», dijo Baskerville. «Por cierto, Doctor Mortimer, ¿quién es ese Barrymore?».

«Es el hijo del antiguo cuidador, que ha muerto. Llevan cuatro generaciones cuidando del Hall. Por lo que sé, él y su esposa son una pareja tan respetable como ninguna otra en el condado».

«Al mismo tiempo», dijo Baskerville, «está bastante claro que mientras no haya nadie de la familia en la mansión esta gente tiene una casa estupenda y nada que hacer».

«Eso es cierto».

«¿Se benefició Barrymore en algo del testamento de Sir Charles?», preguntó Holmes.

«Él y su esposa recibieron quinientas libras cada uno».

«¡Ha! ¿Sabían que recibirían eso?».

«Sí; a Sir Charles le gustaba mucho hablar de las disposiciones de su testamento».

«Eso es muy interesante».

«Espero», dijo el Doctor Mortimer, «que no mire con ojos sospechosos a todo el que haya recibido un legado de Sir Charles, pues a mí también me dejó mil libras».

«¡Claro! ¿Y alguien más?».

«Había muchas sumas insignificantes a particulares, y un gran número de obras de beneficencia pública. El residuo fue todo para Sir Henry».

«¿Y cuánto era el residuo?».

«Setecientas cuarenta mil libras».

Holmes levantó las cejas sorprendido. «No tenía noción de que se trataba de una suma tan gigantesca», dijo.

«Sir Charles tenía fama de rico, pero no supimos lo rico que era hasta que llegamos a examinar sus valores. El valor total del patrimonio se acercaba al millón».

«¡Dios mío! Es una apuesta por la que un hombre bien podría jugar un juego desesperado. Y una pregunta más, Doctor Mortimer. Suponiendo que algo le ocurriera a nuestro joven amigo aquí presente —¡usted perdonará la desagradable hipótesis!— ¿quién heredaría la propiedad?».

«Como Rodger Baskerville, el hermano menor de Sir Charles murió soltero, la propiedad descendería a los Desmond, que son primos lejanos. James Desmond es un anciano clérigo de Westmoreland».

«Gracias. Todos estos detalles son de gran interés. ¿Conoce al señor James Desmond?».

«Sí; una vez vino a visitar a Sir Charles. Es un hombre de aspecto venerable y de vida piadosa. Recuerdo que se negó a aceptar ningún dinero por parte de Sir Charles, aunque le presionó para que lo hiciera».

«Y este hombre de gustos sencillos sería el heredero de los miles de Sir Charles».

«Sería el heredero de la propiedad porque eso es vinculante. También sería el heredero del dinero a menos que el actual propietario dispusiera lo contrario, quien, por supuesto, puede hacer lo que quiera con él».

«¿Y ha hecho usted su testamento, Sir Henry?».

«No, señor Holmes, no lo he hecho. No he tenido tiempo, pues fue ayer cuando me enteré de cómo estaban las cosas. Pero en cualquier caso creo que el dinero debe ir con el título y la propiedad. Esa fue la idea de mi pobre tío. ¿Cómo va a restaurar el propietario las glorias de los Baskerville si no tiene dinero suficiente para mantener la propiedad? Casa, tierra y dólares deben ir juntos».

«Así es. Bien, Sir Henry, estoy de acuerdo con usted en cuanto a la conveniencia de que vaya a Devonshire sin demora. Sólo hay una precaución que debo formular. Ciertamente no debe ir solo».

«El Doctor Mortimer vuelve conmigo».

«Pero el Doctor Mortimer tiene su consulta que atender y su casa está a millas de la suya. Con toda la buena voluntad del mundo puede que sea incapaz de ayudarle. No, Sir Henry, debe llevar con usted a alguien, un hombre de confianza, que esté siempre a su lado».

«¿Es posible que pueda venir usted mismo, señor Holmes?».

«Si los asuntos llegaran a un punto crítico me esforzaría por estar presente en persona; pero comprenderá que, con mi extensa práctica de consultoría y con las constantes llamadas que me llegan de muchos lados, me es imposible ausentarme de Londres por un tiempo indefinido. En el instante presente uno de los nombres más venerados de Inglaterra está siendo mancillado por un chantajista, y sólo yo puedo detener un escándalo desastroso. Ya verá cómo me resulta imposible ir a Dartmoor».

«¿A quién recomendaría entonces?».

Holmes puso su mano sobre mi brazo. «Si mi amigo quiere aceptarlo, no hay hombre que merezca más la pena tener a su lado cuando uno se encuentra en apuros. Nadie puede decirlo con más seguridad que yo».

La proposición me cogió completamente por sorpresa, pero antes de que tuviera tiempo de contestar, Baskerville me agarró de la mano y me la apretó con fuerza.

«Bueno, eso es muy amable por su parte, Doctor Watson», dijo él. «Ya ve cómo es conmigo, y usted sabe tanto del asunto como yo. Si viene a Baskerville Hall y me acompaña nunca lo olvidaré».

La promesa de aventura siempre me había fascinado, y me sentí halagado por las palabras de Holmes y por el afán con que el baronet me aclamó como compañero.

«Iré, con mucho gusto», dije. «No sé cómo podría emplear mejor mi tiempo».

«Y usted me informará muy cuidadosamente», dijo Holmes. «Cuando llegue una crisis, tal como sucederá, yo le indicaré cómo debe actuar. ¿Supongo que para el sábado todo estará listo?».

«¿Le convendría al Doctor Watson?».

«Perfectamente».

«Entonces el sábado, a menos que sepa lo contrario, nos veremos en el tren de las diez y media que sale desde Paddington».

Nos habíamos levantado para partir cuando Baskerville lanzó un grito de triunfo y, sumergiéndose en uno de los rincones de la habitación, sacó una bota marrón de debajo de un armario.

«¡Mi bota perdida!», exclamó.

«¡Que todas nuestras dificultades se desvanezcan con la misma facilidad!», dijo Sherlock Holmes.

«Pero es algo muy singular», comentó el Doctor Mortimer. «Registré esta habitación cuidadosamente antes del almuerzo».

«Y yo también», dijo Baskerville. «Cada pulgada de ella».

«Desde luego, entonces no había ninguna bota».

«En ese caso, el camarero debió colocarla allí mientras almorzábamos».

Se envió a buscar al alemán, pero éste declaró no saber nada del asunto, y ninguna indagación pudo aclararlo. Se había añadido otro elemento a aquella serie constante y aparentemente sin propósito de pequeños misterios que se habían sucedido con tanta rapidez. Dejando a un lado toda la sombría historia de la muerte de Sir Charles, teníamos una línea de incidentes inexplicables todos dentro de los límites de dos días, que incluían la recepción de la carta impresa, el espía de barba negra en el coche de caballos, la pérdida de la bota nueva marrón, la pérdida de la bota vieja negra, y ahora la devolución de la bota nueva marrón. Holmes permaneció sentado en silencio en el taxi mientras regresábamos a Baker Street, y supe por sus cejas fruncidas y su rostro afilado que su mente, como la mía, estaba ocupada en tratar de elaborar algún esquema en el que pudieran encajar todos estos episodios extraños y aparentemente inconexos. Durante toda la tarde y hasta bien entrada la noche permaneció sentado, perdido en el tabaco y el pensamiento.

Justo antes de la cena llegaron dos telegramas. El primero decía:

Acabo de enterarme de que Barrymore está en el Hall. BASKERVILLE.

El segundo:

Visité veintitrés hoteles como se me indicó, pero lamento informar que no pude rastrear la hoja recortada del Times. CARTWRIGHT.

«Ahí van dos de mis hilos, Watson. No hay nada más estimulante que un caso en el que todo va en contra. Debemos buscar otro rastro».

«Aún tenemos al taxista que llevó al espía».

«Exactamente. He telegrafiado para obtener su nombre y dirección del Registro Oficial. No me sorprendería que fuera una respuesta a mi pregunta».

Sin embargo, el toque al timbre resultó ser algo aún más satisfactorio que una respuesta, ya que la puerta se abrió y entró un tipo de aspecto rudo que evidentemente era el propio hombre.

«Recibí un mensaje de la central diciendo que un señor de esta dirección había preguntado por el nº 2704», dijo. «Llevo siete años conduciendo mi taxi y nunca una palabra de queja. Vine aquí directamente desde el Yard para preguntarle a la cara qué tenía contra mí».

«No tengo nada en el mundo contra usted, mi buen hombre», dijo Holmes. «Al contrario, tengo medio soberano para usted si me da una respuesta clara a mis preguntas».

«Bueno, he tenido un buen día y no he cometido ningún error», dijo el taxista con una sonrisa. «¿Qué quería preguntar, señor?».

«En primer lugar su nombre y dirección, por si le vuelvo a necesitar».

«John Clayton, 3 Turpey Street, Borough. Mi taxi sale de Shipley's Yard, cerca de la estación de Waterloo».

Sherlock Holmes tomó nota de ello.

«Ahora, Clayton, cuénteme todo sobre el pasajero que vino a vigilar esta casa a las diez de esta mañana y después siguió a los dos caballeros por Regent Street».

El hombre parecía sorprendido y un poco avergonzado. «Vaya, no tiene sentido que le cuente cosas, pues parece que usted ya sabe tanto como yo», dijo. «Lo cierto es que el caballero me dijo que era detective y que no dijera nada de él a nadie».

«Mi buen amigo; este es un asunto muy serio, y puede encontrarse en una posición bastante complicada si intenta ocultarme algo. ¿Dice que su pasajero le dijo que era detective?».

«Sí, lo hizo».

«¿Cuándo dijo esto?».

«Cuando me dejó».

«¿Dijo algo más?».

«Mencionó su nombre».

Holmes me lanzó una rápida mirada de triunfo. «Oh, mencionó su nombre, ¿verdad? Eso fue imprudente. ¿Cuál fue el nombre que mencionó?».

«Se llamaba», dijo el taxista, «señor Sherlock Holmes».

Nunca he visto a mi amigo más completamente desconcertado que ante la respuesta del taxista. Durante un instante permaneció en silencio, asombrado. Luego estalló en una sonora carcajada.

«¡Un toque, Watson... un toque innegable!», dijo él. «Siento un florete tan rápido y flexible como el mío. Esa vez me tocó muy bien. Así que se llamaba Sherlock Holmes, ¿verdad?».

«Sí, señor, ése era el nombre del caballero».

«¡Excelente! Dígame dónde lo recogió y todo lo que ocurrió».

«Me abordó a las nueve y media en Trafalgar Square. Dijo que era detective y me ofreció dos guineas si hacía exactamente lo que él quería durante todo el día y no hacía preguntas. Acepté encantado. Primero nos dirigimos al hotel Northumberland y esperamos allí hasta que dos caballeros salieron y cogieron un taxi en la parada. Seguimos su taxi hasta que se detuvo en algún lugar cerca de aquí».

«Esta misma puerta», dijo Holmes.

«Bueno, no podía estar seguro de ello, pero me atrevería a decir que mi pasajero lo sabía todo. Nos detuvimos a mitad de la calle y esperamos una hora y media. Entonces los dos caballeros pasaron junto a nosotros, caminando, y nosotros les seguimos por Baker Street y a lo largo...».

«Lo sé», dijo Holmes.

«Hasta que llegamos a las tres cuartas partes de Regent Street. Entonces mi caballero levantó la trampa y me pidió a gritos que condujera inmediatamente hasta la estación de Waterloo, tan rápido como pudiera. Fustigué a la yegua y llegamos en menos de diez minutos. Entonces pagó sus dos guineas, como un buen hombre, y se marchó a la estación. Justo cuando se iba, se dio la vuelta y dijo: "Quizá le interese saber que ha estado llevando al señor Sherlock Holmes". Así es como llegué a conocer el nombre».

«Ya veo. ¿Y no le vio más?».

«No después de que entrara en la estación».

«¿Y cómo describiría al señor Sherlock Holmes?».

El taxista se rascó la cabeza. «Bueno, no era del todo un caballero fácil de describir. Yo le pondría unos cuarenta años, y era de estatura media, dos o tres pulgadas más bajo que usted, señor. Iba vestido como un pueblerino, y tenía una barba negra, cortada a escuadra en el extremo, y la cara pálida. No sé si podría decir más que eso».

«¿El color de sus ojos?».

«No, no puedo decirlo».

«¿Nada más que pueda recordar?».

«No, señor; nada».

«Bien, entonces, aquí está su medio soberano. Hay otro esperándole si puede aportar más información. Buenas noches».

«¡Buenas noches, señor, y gracias!».

John Clayton se marchó riendo entre dientes y Holmes se volvió hacia mí con un encogimiento de hombros y una sonrisa apenada.

«Se corta nuestro tercer hilo, y terminamos donde empezamos», dijo. «¡El astuto bribón! Conocía nuestro número, sabía que Sir Henry Baskerville me había consultado, adivinó quién era yo en Regent Street, conjeturó que yo había conseguido el número del taxi y que pondría mis manos sobre el conductor, y así envió este audaz mensaje. Le digo, Watson, que esta vez tenemos un enemigo digno de nuestro acero. Me han dado jaque mate en Londres. Sólo puedo desearle mejor suerte en Devonshire. Pero no estoy tranquilo al respecto».

«¿Sobre qué?».

«Sobre enviarle. Es un asunto feo, Watson, un asunto feo y peligroso, y cuanto más lo veo menos me gusta. Sí, mi querido amigo, puede usted reírse, pero le doy mi palabra de que me alegraré mucho de tenerle de vuelta sano y salvo en Baker Street una vez más».

CAPÍTULO 6 — BASKERVILLE HALL

Sir Henry Baskerville y el Doctor Mortimer estaban listos el día señalado y partimos como habíamos acordado hacia Devonshire. El señor Sherlock Holmes condujo conmigo hasta la estación y me dio sus últimos consejos y advertencias de despedida.

«No predispondré su mente sugiriéndole teorías o sospechas, Watson», dijo él; «deseo simplemente que me informe de los hechos de la manera más completa posible, y que me deje a mí hacer las teorías».

«¿Qué tipo de hechos?», pregunté.

«Cualquier cosa que pueda parecer tener relación, aunque sea indirecta, con el caso, y especialmente las relaciones entre el joven Baskerville y sus vecinos o cualquier nuevo detalle sobre la muerte de Sir Charles. Yo mismo he hecho algunas averiguaciones en los últimos días, pero los resultados han sido, me temo, negativos. Sólo una cosa parece cierta, y es que el señor James Desmond, que es el próximo heredero, es un caballero anciano de talante muy amable, por lo que esta persecución no procede de él. Realmente creo que podemos eliminarlo por completo de nuestros cálculos. Quedan las personas que realmente rodearán a Sir Henry Baskerville en el páramo».

«¿No estaría bien en primer lugar deshacerse de esta pareja, los Barrymore?».

«De ninguna manera. No se podría cometer un error mayor. Si son inocentes sería una cruel injusticia y si son culpables estaríamos renunciando a toda posibilidad de resolverlo. No, no, los conservaremos en nuestra lista de sospechosos. Luego hay un casero en el Hall, si no recuerdo mal. Hay dos granjeros del páramo. Está nuestro amigo el Doctor Mortimer, a quien creo totalmente honesto, y está su esposa, de quien no sabemos nada. Está este naturalista, Stapleton, y está su hermana, de la que se dice que es una joven atractiva. Está el señor Frankland, de Lafter Hall, que también es un factor desconocido, y hay uno o dos vecinos más. Estas son las personas que deben ser su estudio especial».

«Haré lo que pueda».

«¿Tiene armas, supongo?».

«Sí, pensé que sería mejor llevarlas».

«Con toda seguridad. Mantenga su revólver cerca de usted noche y día, y nunca relaje sus precauciones».

Nuestros amigos ya se habían asegurado un vagón de primera clase y nos esperaban en el andén.

«No, no tenemos noticias de ningún tipo», dijo el Doctor Mortimer en respuesta a las preguntas de mi amigo. «Puedo jurar una cosa, y es que no nos han perseguido durante los dos últimos días. Nunca hemos salido sin mantener una aguda vigilancia, y nadie podría haber escapado a nuestra atención».

«Siempre se han mantenido juntos, supongo».

«Excepto ayer por la tarde. Suelo dedicar un día a la pura diversión cuando vengo a la ciudad, así que lo pasé en el Museo del Colegio de Cirujanos».

«Y yo fui a ver a la gente en el parque», dijo Baskerville.

«Pero no tuvimos ningún tipo de problema».

«Fue una imprudencia, de todos modos», dijo Holmes, sacudiendo la cabeza y con aspecto muy grave. «Le ruego, Sir Henry, que no vaya por ahí solo. Alguna gran desgracia le ocurrirá si lo hace. ¿Encontró su otra bota?».

«No, señor, ha desaparecido para siempre».

«En efecto. Es muy interesante. Bueno, adiós», añadió mientras el tren comenzaba a deslizarse por el andén. «Tenga en cuenta, Sir Henry, una de las frases de esa extraña leyenda antigua que nos ha leído el Doctor Mortimer, y evite el páramo en esas horas de oscuridad en que los poderes del mal se exaltan».

Volví la vista hacia el andén cuando lo habíamos dejado muy atrás y vi la figura alta y austera de Holmes de pie, inmóvil y mirando tras nosotros.

El viaje fue rápido y agradable, y lo empleé en conocer más íntimamente a mis dos compañeros y en jugar con el spaniel del Doctor Mortimer. En pocas horas la tierra parda se había vuelto rojiza, el ladrillo había cambiado a granito y las vacas rojas pastaban en campos bien cercados donde las hierbas exuberantes y la vegetación más frondosa hablaban de un clima más rico, aunque más húmedo. El joven Baskerville miró ansiosamente por la ventanilla y exclamó de alegría al reconocer los rasgos familiares del paisaje de Devon.

«He recorrido buena parte del mundo desde que lo dejé, Doctor Watson», dijo; «pero nunca he visto un lugar que se le pueda comparar».

«Nunca vi a un hombre de Devonshire que no jurara por su condado», comenté.

«Depende de la raza de los hombres tanto como del condado», dijo el Doctor Mortimer. «Una mirada a nuestro amigo aquí presente revela la cabeza redondeada del celta, que lleva en su interior el entusiasmo celta y el poder del apego. La cabeza del pobre Sir Charles era de un tipo muy raro, mitad gaélica, mitad iverniana en sus características. Pero usted era muy joven la última vez que vio Baskerville Hall, ¿verdad?».

«Yo era un muchacho en plena adolescencia cuando murió mi padre y nunca he visto el Hall, pues él vivía en una casita en la costa sur. De allí fui directamente a ver a un amigo en los Estados Unidos. Le digo que todo es tan nuevo para mí como para el Doctor Watson, y tengo el mayor interés posible en ver el páramo».

«¿Es así? Entonces su deseo se cumple fácilmente, pues ahí tiene su primera vista del páramo», dijo el Doctor Mortimer, señalando por la ventanilla del carruaje.

Sobre los verdes cuadros de los campos y la curva baja de un bosque se alzaba a lo lejos una colina gris y melancólica, con una extraña cumbre dentada, tenue y vaga en la distancia, como algún paisaje fantástico en un sueño. Baskerville permaneció sentado largo rato, con los ojos fijos en ella, y leí en su rostro ansioso cuánto significaba para él esta primera visión de aquel extraño lugar donde los hombres de su sangre habían dominado durante tanto tiempo y dejado su huella tan profundamente. Allí estaba sentado, con su traje de tweed y su acento americano, en la esquina de un prosaico vagón de ferrocarril y, sin embargo, al contemplar su rostro oscuro y expresivo, sentí más que nunca que era un verdadero descendiente de esa larga estirpe de hombres de sangre fuerte, feroces y magistrales. Había orgullo, valor y fuerza en sus gruesas cejas, sus sensibles fosas nasales y sus grandes ojos color avellana. Si en aquel páramo prohibido se presentaba ante nosotros una búsqueda difícil y peligrosa, éste era al menos un camarada por el que uno podía aventurarse a correr un riesgo con la certeza de que lo compartiría valientemente.

El tren se detuvo en una pequeña estación junto al camino y todos descendimos. Fuera, más allá de la valla blanca y baja, esperaba una vagoneta con un par de mulas. Nuestra llegada fue evidentemente un gran acontecimiento, pues el jefe de estación y los porteros se agruparon a nuestro alrededor para sacar nuestro equipaje. Era un lugar campestre, dulce y sencillo, pero me sorprendió observar que junto a la verja había dos soldados con uniformes oscuros que se apoyaban en sus rifles cortos y nos miraban agudamente cuando pasábamos. El cochero, un tipo pequeño, de rostro duro y nudoso, saludó a Sir Henry Baskerville, y en pocos minutos íbamos a gran velocidad por la ancha y blanca carretera. Las ondulantes tierras de pasto se curvaban hacia arriba a ambos lados de nosotros, y viejas casas a dos aguas asomaban entre el espeso follaje verde, pero detrás de la apacible y soleada campiña se alzaba siempre, oscura contra el cielo del atardecer, la larga y sombría curva del páramo, quebrada por las colinas dentadas y siniestras.

La carreta giró en redondo hacia un camino lateral, y nos dirigimos hacia arriba a través de profundos senderos desgastados por siglos de ruedas, altas orillas a ambos lados, pesadas con musgo goteante y carnosos helechos lengua de ciervo. Los helechos bronceados y las zarzas moteadas brillaban a la luz del sol poniente. Sin dejar de ascender, pasamos por encima de un estrecho puente de granito y bordeamos un ruidoso arroyo que bajaba a borbotones, espumeante y rugiendo entre los peñascos grises. Tanto la carretera como el arroyo serpenteaban por un valle denso de matorrales de robles y abetos. A cada vuelta Baskerville lanzaba una exclamación de deleite, mirando con avidez a su alrededor y haciendo innumerables preguntas. A sus ojos todo parecía hermoso, pero a los míos un tinte de melancolía cubría la campiña, que llevaba tan claramente la marca del año menguante. Las hojas amarillas alfombraban los carriles y revoloteaban sobre nosotros a nuestro paso. El traqueteo de nuestras ruedas se desvanecía a medida que avanzábamos a través de briznas de vegetación podrida... tristes regalos, según me parecía, que la Naturaleza arrojaba ante el carruaje del heredero de los Baskerville que regresaba.

«¡Vaya!», gritó el Doctor Mortimer, «¿qué es esto?».

Frente a nosotros se extendía una empinada curva de tierra cubierta de brezo, un saliente del páramo. En la cima, duro y despejado como una estatua ecuestre sobre su pedestal, había un soldado montado, moreno y severo, con el rifle preparado sobre el antebrazo. Vigilaba el camino por el que viajábamos.

«¿Qué es esto, Perkins?», preguntó el Doctor Mortimer.

Nuestro conductor se giró a medias en su asiento. «Hay un convicto escapado de Princetown, señor. Lleva ya tres días fuera, y los guardias vigilan todas las carreteras y todas las estaciones, pero aún no lo han visto. A los granjeros de por aquí no les gusta, señor, eso es un hecho».

«Bueno, tengo entendido que reciben cinco libras si pueden dar información».

«Sí, señor, pero la posibilidad de cinco libras no es más que una pobre cosa comparada con la posibilidad de que le corten el cuello a uno. Verá, no es como cualquier convicto ordinario. Es un hombre que no se atascaría ante nada».

«Entonces, ¿quién es?».

«Es Selden, el asesino de Notting Hill».

Recordaba bien el caso, pues era uno en el que Holmes se había interesado por la peculiar ferocidad del crimen y la brutalidad gratuita que había marcado todas las acciones del asesino. La conmutación de su pena de muerte se había debido a algunas dudas sobre su completa cordura, tan atroz fue su conducta. Nuestra carreta había coronado una elevación y frente a nosotros se alzaba la enorme extensión del páramo, moteado de mojones y peñascos nudosos y escarpados. Un viento frío descendió de ella y nos hizo temblar. En algún lugar, en aquella llanura desolada, acechaba este hombre diabólico, escondido en una madriguera como una bestia salvaje, con el corazón lleno de maldad contra toda la raza que le había expulsado. No hacía falta más que esto para completar la sombría sugestión del yermo, el viento helado y el cielo tenebroso. Incluso Baskerville enmudeció y se ciñó más el abrigo.

Habíamos dejado atrás y bajo nosotros el fértil país. Lo contemplábamos ahora, con los rayos oblicuos de un sol bajo que convertía los arroyos en hilos de oro y brillaba sobre la tierra roja recién removida por el arado y la amplia maraña de los bosques. El camino frente a nosotros se hacía más sombrío y salvaje sobre enormes laderas rojizas y oliváceas, salpicadas de peñascos gigantes. De vez en cuando pasábamos junto a una cabaña del páramo, amurallada y techada con piedra, sin ninguna enredadera que rompiera su dura silueta. De repente miramos hacia abajo, a una depresión en forma de copa, parcheada con robles y abetos achaparrados que habían sido retorcidos y doblados por la furia de años de tormenta. Dos torres altas y estrechas se alzaban sobre los árboles. El conductor señaló con su látigo.

«Baskerville Hall», dijo.

Su amo se había erguido y nos miraba con las mejillas sonrojadas y los ojos brillantes. Pocos minutos después habíamos llegado a las puertas de la logia, un laberinto de fantásticas tracerías de hierro forjado, con pilares desgastados por la intemperie a ambos lados, manchados de líquenes y coronados por las cabezas de jabalí de los Baskerville. La posada era una ruina de granito negro y costillas de vigas desnudas, pero frente a ella había un edificio nuevo, a medio construir, el primer fruto del oro sudafricano de Sir Charles.

A través del portal pasamos a la avenida, donde las ruedas volvieron a callar entre las hojas, y los viejos árboles lanzaron sus ramas en un sombrío túnel sobre nuestras cabezas. Baskerville se estremeció al mirar el largo y oscuro camino de entrada hasta el lugar donde la casa brillaba como un fantasma en el extremo más alejado.

«¿Fue aquí?», preguntó en voz baja.

«No, no, el callejón de tejos está al otro lado».

El joven heredero miró a su alrededor con rostro sombrío.

«No es de extrañar que mi tío sintiera que los problemas se le venían encima en un lugar como éste», dijo. «Es suficiente para asustar a cualquier hombre. Tendré una hilera de lámparas eléctricas por aquí dentro de seis meses, y no lo volverán a conocer, con mil lámparas Swan y Edison justo aquí delante de la puerta del vestíbulo».

La avenida se abría en una amplia extensión de césped y la casa se extendía ante nosotros. A la luz mortecina pude ver que el centro era un pesado bloque de construcción del que sobresalía un porche. Toda la fachada estaba cubierta de hiedra, con un parche recortado desnudo aquí y allá donde una ventana o un escudo de armas atravesaban el oscuro velo. Desde este bloque central se alzaban las torres gemelas, antiguas, almenadas y perforadas con numerosas troneras. A derecha e izquierda de las torrecillas había alas más modernas de granito negro. Una luz mortecina brillaba a través de las pesadas ventanas con parteluz, y de las altas chimeneas que se elevaban desde el empinado tejado de ángulo alto brotaba una única columna negra de humo.

«¡Bienvenido, Sir Henry! ¡Bienvenido a Baskerville Hall!».

Un hombre alto había salido de la sombra del porche para abrir la puerta de la carreta. La figura de una mujer se recortaba contra la luz amarilla del vestíbulo. Ella salió y ayudó al hombre a bajar nuestras maletas.

«¿No le importa que conduzca directamente a casa, Sir Henry?», dijo el Doctor Mortimer. «Mi esposa me está esperando».

«¿Seguro que se queda a cenar?».

«No, debo irme. Probablemente me espere algún trabajo. Me quedaría para enseñarle la casa, pero Barrymore será mejor guía que yo. Adiós, y no dude noche o día en mandarme llamar si puedo serle útil».

Las ruedas se alejaron por el camino de entrada mientras Sir Henry y yo girábamos hacia el vestíbulo y la puerta repiqueteaba pesadamente tras nosotros. Era un bonito apartamento en el que nos encontrábamos, grande, elevado y pesadamente tapiado con enormes tablones de roble ennegrecido por el paso del tiempo. En la gran chimenea anticuada, detrás de los altos perros de hierro, crepitaba y chasqueaba un fuego de leña. Sir Henry y yo extendimos las manos hacia la chimenea, pues estábamos entumecidos por nuestro largo viaje. Luego contemplamos a nuestro alrededor la alta y delgada ventana de viejas vidrieras, el revestimiento de roble, las cabezas de ciervo, los escudos de armas de las paredes, todo tenue y sombrío a la suave luz de la lámpara central.

«Es tal y como me lo imaginaba», dijo Sir Henry. «¿No es la imagen misma de una antigua casa familiar? Pensar que ésta sea la misma sala en la que durante quinientos años ha vivido mi gente. Me parece solemne pensarlo».

Vi su rostro oscuro iluminado con un entusiasmo infantil mientras miraba a su alrededor. La luz le daba de lleno donde estaba, pero largas sombras se deslizaban por las paredes y colgaban como un dosel negro sobre él. Barrymore había regresado de llevar nuestro equipaje a nuestras habitaciones. Ahora estaba de pie frente a nosotros con los modales sumisos de un sirviente bien entrenado. Era un hombre de aspecto notable, alto, apuesto, con una barba negra, cuadrada, y rasgos pálidos y distinguidos.

«¿Desea que la cena se sirva enseguida, señor?».

«¿Está lista?».

«En muy pocos minutos, señor. Encontrarán agua caliente en sus habitaciones. Mi esposa y yo estaremos encantados, Sir Henry, de quedarnos con usted hasta que haya hecho sus nuevos arreglos, pero comprenderá que bajo las nuevas condiciones esta casa requerirá un personal considerable».

«¿Qué nuevas condiciones?».

«Sólo quería decir, señor, que Sir Charles llevaba una vida muy retirada, y que podíamos atender sus necesidades. Usted, naturalmente, desearía tener más compañía, por lo que necesitará cambios en su hogar».

«¿Quiere decir que su esposa y usted desean marcharse?».

«Sólo cuando le resulte conveniente, señor».

«Pero su familia ha estado con nosotros durante varias generaciones, ¿no es así? Lamentaría comenzar mi vida aquí rompiendo una vieja conexión familiar».

Me pareció discernir algunos signos de emoción en el blanco rostro del mayordomo.

«Yo también lo siento así, señor, y mi esposa también. Pero a decir verdad, señor, los dos estábamos muy apegados a Sir Charles, y su muerte nos ha conmocionado y ha hecho que este entorno nos resulte muy doloroso. Me temo que nunca volveremos a estar tranquilos en Baskerville Hall».

«Pero, ¿qué piensa hacer?».

«No me cabe duda, señor, de que lograremos establecernos en algún negocio. La generosidad de Sir Charles nos ha dado los medios para hacerlo. Y ahora, señor, quizás sea mejor que le acompañe a sus habitaciones».

Una galería cuadrada con balaustrada recorría la parte superior del antiguo vestíbulo, al que se accedía por una escalera doble. Desde este punto central se extendían dos largos corredores a todo lo largo del edificio, desde los que se abrían todos los dormitorios. El mío se encontraba en la misma ala que el de Baskerville y casi al lado. Estas habitaciones parecían mucho más modernas que la parte central de la casa, y el papel brillante y las numerosas velas hicieron algo para eliminar la sombría impresión que nuestra llegada había dejado en mi mente.

Pero el comedor que se abría desde el vestíbulo era un lugar de sombras y penumbra. Era una larga cámara con un escalón que separaba el estrado, donde se sentaba la familia, de la parte inferior, reservada a sus dependientes. En un extremo, una galería de juglares la dominaba. Unas vigas negras se proyectaban por encima de nuestras cabezas, con un techo oscurecido por el humo más allá. Con hileras de antorchas encendidas para iluminarlo, y el colorido y la ruda hilaridad de un banquete de antaño podría haberse suavizado; pero ahora, cuando dos caballeros vestidos de negro se sentaron en el pequeño círculo de luz arrojado por una lámpara sombreada, las voces se acallaron y los espíritus se sometieron. Una tenue línea de antepasados, en toda variedad de atuendos, desde el caballero isabelino hasta el corvo de la Regencia, nos miraba fijamente y nos amedrentaba con su silenciosa compañía. Hablamos poco y, por mi parte, me sentí complacido cuando terminó la comida y pudimos retirarnos a la moderna sala de billar y fumar un cigarrillo.

«Vaya, no es un lugar muy alegre», dijo Sir Henry. «Supongo que uno puede acostumbrarse a esto, pero en estos momentos me siento un poco fuera de lugar. No me extraña que mi tío se pusiera un poco nervioso al vivir solo en una casa como ésta. Sin embargo, si le parece bien, nos retiraremos temprano esta noche, y tal vez las cosas parezcan más alegres por la mañana».

Aparté las cortinas antes de acostarme y miré por la ventana. Se abría sobre el espacio cubierto de hierba que había frente a la puerta del vestíbulo. Más allá, dos bosquecillos de árboles gemían y se mecían con un viento creciente. Una media luna se abría paso entre las hendiduras de las nubes aceleradas. A su fría luz vi más allá de los árboles una franja quebrada de rocas y la curva larga y baja del melancólico páramo. Cerré la cortina, sintiendo que mi última impresión estaba en consonancia con el resto.

Y sin embargo no fue la última. Me encontraba cansado y sin embargo despierto, dando vueltas inquieto de un lado a otro, procurando el sueño que no llegaba. A lo lejos, el tintineo de un reloj marcaba los cuartos de las horas, pero por lo demás un silencio sepulcral yacía sobre la vieja casa. Y de pronto, en la misma oscuridad de la noche, llegó a mis oídos un sonido, claro, resonante e inconfundible. Era el sollozo de una mujer, el jadeo ahogado y estrangulado de quien está desgarrada por una pena incontrolable. Me senté en la cama y escuché atentamente. El ruido no podía provenir de muy lejos y sin duda estaba dentro de la casa. Durante media hora esperé con todos los nervios en alerta, pero no llegó ningún otro sonido salvo el tintineo del reloj y el susurro de la hiedra en la pared.

CAPÍTULO 7 – LOS STAPLETON, DE MERRIPIT HOUSE

La fresca belleza de la mañana siguiente hizo algo por borrar de nuestras mentes la sombría y gris impresión que nos había dejado a ambos nuestra primera experiencia de Baskerville Hall. Mientras Sir Henry y yo nos sentábamos a desayunar, la luz del sol entraba a raudales por las altas ventanas con parteluz, arrojando acuosas manchas de color desde los escudos de armas que las cubrían. Los oscuros revestimientos brillaban como el bronce bajo los rayos dorados, y era difícil darse cuenta de que aquélla era en realidad la cámara que la víspera había infundido tanta melancolía en nuestras almas.

«¡Supongo que la culpa es nuestra y no de la casa!», dijo el baronet. «Estábamos cansados por el viaje y helados por el coche, así que vimos el lugar con malos ojos. Ahora estamos frescos y bien, así que todo vuelve a ser alegre».

«Y sin embargo no fue enteramente una cuestión de imaginación», respondí. «¿Por casualidad, por ejemplo, oyó a alguien, una mujer creo, sollozar por la noche?».

«Es curioso, porque cuando estaba medio dormido me pareció oír algo parecido. Esperé un buen rato, pero no ocurrió nada más, así que concluí que todo había sido un sueño».

«Lo oí claramente, y estoy seguro de que era realmente el sollozo de una mujer».

«Debemos preguntar sobre esto enseguida». Tocó la campanilla y preguntó a Barrymore si podía dar cuenta de nuestra experiencia. Me pareció que las pálidas facciones del mayordomo se volvían un tono aún más pálidas al escuchar la pregunta de su amo.

«Sólo hay dos mujeres en la casa, Sir Henry», respondió. «Una es la criada del fregadero, que duerme en la otra ala. La otra es mi esposa, y puedo asegurar que el sonido no pudo provenir de ella».

Y sin embargo mintió al decirlo, pues dio la casualidad de que después del desayuno me encontré con la señora Barrymore en el largo pasillo con el sol de lleno en su rostro. Era una mujer grande, impasible, de facciones pesadas y con una expresión severa en la boca. Pero sus ojos delatores estaban enrojecidos y me miraban desde entre los párpados hinchados. Era ella, pues, quien lloraba por la noche, y si lo hacía su marido debía saberlo. Sin embargo, había corrido el evidente riesgo de ser descubierto al declarar que no era así. ¿Por qué lo había hecho él? ¿Y por qué ella lloraba tan amargamente? Alrededor de este hombre de rostro pálido, apuesto y de barba negra se iba acumulando ya una atmósfera de misterio y de penumbra. Fue él quien había sido el primero en descubrir el cadáver de Sir Charles, y sólo contábamos con su palabra para todas las circunstancias que condujeron a la muerte del anciano. ¿Era posible que fuera Barrymore, después de todo, a quien habíamos visto en el taxi en Regent Street? La barba bien podría haber sido la misma. El taxista había descrito a un hombre algo más bajo, pero tal impresión podía ser fácilmente errónea. ¿Cómo podía zanjar la cuestión para siempre? Obviamente, lo primero que había que hacer era ver al jefe de correos de Grimpen y averiguar si el telegrama de prueba había llegado realmente a manos del propio Barrymore. Fuera cual fuera la respuesta, al menos tendría algo de lo que informar a Sherlock Holmes.

Sir Henry tenía numerosos papeles que examinar después del desayuno, por lo que el momento era propicio para mi excursión. Fue un agradable paseo de cuatro millas por el borde del páramo, que me condujo al fin a una pequeña aldea gris, en la que dos edificios más grandes, que resultaron ser la posada y la casa del Doctor Mortimer, se alzaban por encima del resto. El jefe de correos, que era también el tendero del pueblo, recordaba claramente el telegrama.

«Ciertamente, señor», dijo, «hice entregar el telegrama al señor Barrymore exactamente como se me indicó».

«¿Quién lo entregó?».

«Mi muchacho. James, entregaste ese telegrama al señor Barrymore en el Hall la semana pasada, ¿verdad?».

«Sí, padre, lo entregué».

«¿En sus propias manos?», pregunté.

«Bueno, él estaba arriba en el desván en ese momento, así que no pude ponerlo en sus manos, pero lo entregué en las de la señora Barrymore, y ella prometió entregarlo enseguida».

«¿Vio al señor Barrymore?».

«No, señor; le digo que estaba en el desván».

«Si no lo vio, ¿cómo sabe que estaba en el desván?».

«Bueno, seguramente su propia esposa debería saber dónde está», dijo el jefe de correos con tono de protesta. «¿No recibió el telegrama? Si hay algún error es el propio señor Barrymore quien debe quejarse».

Parecía inútil proseguir la investigación, pero estaba claro que, a pesar de la treta de Holmes, no teníamos pruebas de que Barrymore no hubiera estado en Londres todo el tiempo. Supongamos que fuera así... supongamos que el mismo hombre hubiera sido el último que había visto con vida a Sir Charles y el primero en perseguir al nuevo heredero cuando regresó a Inglaterra. ¿Qué ocurrió entonces? ¿Era el agente de otros o tenía algún siniestro designio propio? ¿Qué interés podía tener en perseguir a la familia Baskerville? Pensé en la extraña advertencia recortada del artículo principal del *Times*. ¿Era obra suya o posiblemente de alguien empeñado en contrarrestar sus planes? El único motivo concebible era el que había sugerido Sir Henry, que si se podía ahuyentar a la familia se aseguraría un hogar cómodo y permanente para los Barrymore. Pero sin duda una explicación como ésa sería del todo inadecuada para dar cuenta de las profundas y sutiles intrigas que parecían estar tejiendo una red invisible en torno al joven baronet. El propio Holmes había dicho que no se le había presentado un caso más complejo en toda la larga serie de sus sensacionales investigaciones. Recé, mientras caminaba de regreso por la carretera gris y solitaria, para que mi amigo se viera pronto liberado de sus preocupaciones y pudiera bajar a quitarme de los hombros esta pesada carga de responsabilidad.

De repente, mis pensamientos se vieron interrumpidos por el ruido de unos pies que corrían detrás de mí y por una voz que me llamaba por mi nombre. Me volví, esperando ver al Doctor Mortimer, pero para mi sorpresa era un desconocido el que me perseguía. Era un hombre pequeño, delgado, bien afeitado, de rostro apocado, pelo liso y mandíbula delgada, de entre treinta y cuarenta años, vestido con un traje gris y sombrero de paja. Una caja de hojalata para especímenes botánicos colgaba de su hombro y llevaba una red verde para mariposas en una de sus manos.

«Estoy seguro de que disculpará mi atrevimiento, Doctor Watson», dijo mientras se acercaba jadeante hasta donde yo estaba. «Aquí en el páramo somos gente sencilla y no esperamos presentaciones formales. Posiblemente haya oído mi nombre por nuestro amigo en común, Mortimer. Soy Stapleton, de Merripit House».

«Su red y su caja me lo habrían dicho», dije, «pues sabía que el señor Stapleton era naturalista. Pero, ¿cómo me reconoció?».

«He estado visitando a Mortimer, y él me señaló su presencia desde la ventana de su consulta cuando usted pasaba. Como nuestro camino iba en la misma dirección pensé en adelantarme a usted y presentarme. Confío en que Sir Henry no esté mal por su viaje».

«Está muy bien, gracias».

«Todos temíamos que, tras la triste muerte de Sir Charles, el nuevo baronet se negara a vivir aquí. Es pedir mucho a un hombre rico que venga y se entierre en un lugar de este tipo, pero no necesito decirle que significa mucho para la zona. ¿Supongo que Sir Henry no tiene temores supersticiosos al respecto?».

«No creo que eso sea probable».

«¿Por supuesto que conoce la leyenda del perro diabólico que persigue a la familia?».

«La he oído».

«¡Es extraordinario lo crédulos que son los campesinos de por aquí! Muchos de ellos están dispuestos a jurar que han visto una criatura así en el páramo». Hablaba con una sonrisa, pero me pareció leer en sus ojos que se tomaba el asunto más en serio. «La historia se apoderó mucho de la imaginación de Sir Charles, y no me cabe duda de que condujo a su trágico final».

«Pero, ¿cómo?».

«Sus nervios estaban tan alterados que la aparición de cualquier perro podría haber tenido un efecto fatal sobre su corazón enfermo. Me imagino que realmente vio algo parecido aquella última noche en el callejón de los tejos. Temía que ocurriera algún desastre, porque yo quería mucho al viejo y sabía que su corazón era débil».

«¿Cómo sabía eso?».

«Mi amigo Mortimer me lo dijo».

«¿Cree, entonces, que algún perro persiguió a Sir Charles, y que murió de miedo como consecuencia?».

«¿Tiene alguna explicación mejor?».

«No he llegado a ninguna conclusión».

«¿Lo ha hecho el señor Sherlock Holmes?».

Las palabras me dejaron sin aliento por un instante, pero una mirada al rostro plácido y a los ojos firmes de mi compañero me demostró que no pretendía sorprenderme.

«Es inútil que finjamos que no le conocemos, Doctor Watson», dijo él. «Los registros de su detective nos han llegado hasta aquí, y usted no podría celebrarlo sin ser conocido usted mismo. Cuando Mortimer me dijo su nombre no pudo negar su identidad. Si usted está aquí, entonces se deduce que el señor Sherlock Holmes se está interesando por el asunto, y naturalmente tengo curiosidad por saber qué opinión puede adoptar».

«Me temo que no puedo responder a esa pregunta».

«¿Puedo preguntarle si él mismo nos honrará con una visita?».

«No puede abandonar la ciudad por el momento. Tiene otros casos que ocupan su atención».

«¡Qué lástima! Podría arrojar algo de luz sobre aquello que nos resulta tan oscuro. Pero en cuanto a sus propias investigaciones, si hay alguna forma posible en la que pueda serle útil confío en que me lo ordene. Si tuviera algún indicio de la naturaleza de sus sospechas o de cómo se propone investigar el caso, tal vez podría incluso prestarle ahora alguna ayuda o consejo».

«Le aseguro que estoy aquí simplemente de visita a mi amigo, Sir Henry, y que no necesito ayuda de ningún tipo».

«¡Excelente!», dijo Stapleton. «Tiene usted toda la razón al mostrarse cauteloso y discreto. Estoy justamente reprendido por lo que considero una intromisión injustificable y le prometo que no volveré a mencionar el asunto».

Habíamos llegado a un punto en el que un estrecho sendero cubierto de hierba se separaba de la carretera y serpenteaba por el páramo. A la derecha se extendía una colina escarpada y salpicada de cantos rodados que en tiempos pasados había sido una cantera de granito. La cara que estaba vuelta hacia nosotros formaba un acantilado oscuro, con helechos y zarzas creciendo en sus nichos. Desde una elevación distante flotaba un penacho de humo gris.

«Una caminata no muy larga por este sendero del páramo nos lleva a Merripit House», dijo. «Quizá me conceda una hora para que tenga el placer de presentarle a mi hermana».

Mi primer razonamiento fue que debía estar al lado de Sir Henry. Pero entonces recordé la pila de papeles y facturas con que estaba atestada su mesa de estudio. Era indudable que yo no podía ayudar con aquello. Y Holmes había dicho expresamente que yo debía estudiar a los vecinos del páramo. Acepté la invitación de Stapleton y giramos juntos por el sendero.

«Es un lugar maravilloso, el páramo», dijo él, mirando a su alrededor las ondulantes bajadas, los largos rodillos verdes con crestas de granito dentado espumeando en fantásticas oleadas. «Uno nunca se cansa del páramo. No puede imaginarse los maravillosos secretos que encierra. Es tan vasto, y tan yermo, y tan misterioso».

«¿Lo conoce bien, entonces?».

«Sólo llevo aquí dos años. Los residentes me dirían que soy un recién llegado. Llegamos poco después de que Sir Charles se estableciera. Pero mis gustos me llevaron a explorar todos los rincones del lugar, y creo que hay pocos hombres que lo conozcan mejor que yo».

«¿Es difícil de conocer?».

«Muy difícil. Ve, por ejemplo, esta gran llanura al norte, aquí, con las extrañas colinas que surgen de ella. ¿Observa algo notable al respecto?».

«Sería un lugar raro para galopar».

«Es natural pensar así y ese pensamiento ha costado la vida a varios antes de ahora. ¿Nota esas manchas verdes brillantes esparcidas densamente sobre ella?».

«Sí, parecen más fértiles que el resto».

Stapleton se rió. «Esa es la gran Ciénaga de Grimpen», dijo. «Un paso en falso allí significa la muerte para el hombre o la bestia. Ayer mismo vi a uno de los ponis del páramo adentrarse en él. Nunca salió. Vi su cabeza durante mucho tiempo asomando por el agujero de la ciénaga, pero al final se lo tragó. Incluso en las estaciones secas es un peligro cruzarlo, pero después de estas lluvias otoñales es un lugar horrible. Y, sin embargo, puedo encontrar el camino hasta el mismo corazón de él y regresar con vida. Por Dios, ¡ahí hay otro de esos miserables ponis!».

Algo marrón rodaba y se agitaba entre los juncos verdes. Entonces un cuello largo, agonizante y retorcido se disparó hacia arriba y un grito espantoso resonó en el páramo. Me heló de horror, pero los nervios de mi compañero parecían ser más fuertes que los míos.

«¡Se esfumó!», dijo. «El lodazal lo ha atrapado. Dos en dos días, y muchos más, tal vez, pues se meten por allí con el tiempo seco y nunca notan la diferencia hasta que el lodazal los tiene en sus garras. Es un mal lugar, la gran Ciénaga de Grimpen».

«¿Y dice que usted puede penetrarla?».

«Sí, hay uno o dos caminos que un hombre muy activo puede tomar. Yo los he descubierto».

«¿Pero por qué desearía entrar en un lugar tan horrible?».

«Bueno, ¿ve las colinas de más allá? En realidad son islas cortadas por todos lados por el lodazal infranqueable, que se ha arrastrado a su alrededor con el paso de los años. Allí es donde están las plantas raras y las mariposas, si uno tiene la habilidad de llegar a ellas».

«Probaré suerte algún día».

Me miró con cara de sorpresa. «Por el amor de Dios, quítese esa idea de la cabeza», dijo. «Su sangre caería sobre mi cabeza. Le aseguro que no habría la menor posibilidad de que usted regresara con vida. Sólo soy capaz de hacerlo recordando ciertos mojones complejos».

«¡Vaya!», grité. «¿Qué es eso?».

Un gemido largo y grave, indescriptiblemente triste, recorrió el páramo. Llenaba todo el aire y, sin embargo, era imposible decir de dónde procedía. De un sordo murmullo pasó a convertirse en un rugido profundo, y luego volvió a hundirse en un murmullo melancólico y palpitante. Stapleton me miró con una expresión curiosa en el rostro.

«¡Qué extraño lugar, el páramo!», dijo.

«¿Pero, qué es?».

«Los campesinos dicen que es el Sabueso de los Baskerville llamando a su presa. Lo he oído una o dos veces antes, pero nunca tan fuerte».

Miré a mi alrededor, con un escalofrío de miedo en el corazón, la enorme llanura hinchada, moteada con las manchas verdes de los juncos. Nada se agitaba en la vasta extensión, salvo una pareja de cuervos, que graznaban ruidosamente desde un promontorio situado detrás de nosotros.

«Usted es un hombre educado. ¿No creerá tonterías como ésa?», le dije. «¿Cuál cree que es la causa de un sonido tan extraño?».

«Las ciénagas hacen ruidos raros a veces. Es el barro asentándose, o el agua subiendo, o algo así».

«No, no, era una voz de algo vivo».

«Bueno, tal vez lo fuera. ¿Ha oído alguna vez el graznido de un avetoro?».

«No, nunca lo hice».

«Es un ave muy rara, prácticamente extinguida en Inglaterra ahora, pero todas las cosas son posibles en el páramo. Sí, no me sorprendería saber que lo que hemos oído es el grito del último de los avetoros».

«Es la cosa más rara y extraña que he oído en mi vida».

«Sí, es un lugar bastante extraño en conjunto. Mire la ladera de allá. ¿Qué le parece?».

Toda la empinada ladera estaba cubierta de anillos circulares grises de piedra, una veintena de ellos al menos.

«¿Qué son? ¿Precintos para ovejas?».

«No, son los hogares de nuestros dignos antepasados. El hombre prehistórico vivió densamente en el páramo y, como nadie en particular ha vivido allí desde entonces, encontramos todos sus pequeños arreglos exactamente como ellos los dejaron. Éstas son sus chozas sin techo. Incluso puede ver su hogar y su sofá si tiene la curiosidad de entrar».

«Pero es todo un pueblo. ¿Cuándo estuvo habitado?».

«Hombre neolítico: sin fecha».

«¿Qué hacía?».

«Pastoreaba su ganado en estas laderas y aprendió a cavar en busca de estaño cuando la espada de bronce empezó a sustituir al hacha de piedra. Mire la gran zanja en la colina opuesta. Ésa es su marca. Sí, encontrará puntos muy singulares en el páramo, Doctor Watson. ¡Oh, discúlpeme un instante! Seguramente es Cyclopides».

Una pequeña mosca o polilla había revoloteado en nuestro camino, y en un instante Stapleton se lanzó con extraordinaria energía y velocidad en su persecución. Para mi consternación, la criatura voló directamente hacia el gran lodazal, y mi conocido no se detuvo ni un instante, saltando de penacho en penacho tras ella, con su red verde ondeando en el aire. Sus ropas grises y su avance espasmódico, zigzagueante e irregular no lo hacían muy diferente de una enorme polilla. Yo estaba de pie observando su persecución con una mezcla de admiración por su extraordinaria actividad y temor a que perdiera pie en el traicionero lodazal, cuando oí el ruido de unos pasos y, al darme la vuelta, encontré a una mujer cerca de mí en el sendero. Venía de la dirección en la que la columna de humo indicaba la posición de Merripit House, pero la inclinación del páramo la había ocultado hasta que estuvo bastante cerca.

No podía dudar de que se trataba de la señorita Stapleton de la que me habían hablado, ya que las damas de clase deben de ser pocas en el páramo, y recordé que había oído a alguien describirla como una belleza. La mujer que se me acercó era ciertamente eso, y de un tipo de lo más poco común. No podía haber mayor contraste entre hermano y hermana, pues Stapleton era de tez neutra, con el pelo claro y los ojos grises, mientras que ella era más morena que cualquier morena que haya visto en Inglaterra: delgada, elegante y alta. Tenía un rostro orgulloso y finamente recortado, tan regular que podría haber parecido impasible de no ser por la sensible boca y los hermosos ojos oscuros y ansiosos. Con su figura perfecta y su elegante vestido era, en efecto, una extraña aparición en un solitario sendero de páramo. Tenía los ojos fijos en su hermano cuando me volví y entonces aceleró el paso hacia mí. Yo había levantado mi sombrero y estaba a punto de hacer algún comentario explicativo cuando sus propias palabras desviaron todos mis pensamientos hacia un nuevo cauce.

«¡Vuelva!», dijo ella. «Vuelva directamente a Londres, al instante».

Sólo pude mirarla con estúpida sorpresa. Sus ojos me fulminaron y golpeó el suelo impacientemente con el pie.

«¿Por qué debería volver?», pregunté.

«No puedo explicarlo». Habló en voz baja y ansiosa, con un curioso ceceo en su pronunciación. «Pero, por el amor de Dios, haga lo que le pido. Vuelva a Londres y no vuelva a pisar el páramo».

«Pero acabo de llegar».

«¡Hombre, hombre!», gritó ella. «¿No sabe distinguir cuándo una advertencia es por su propio bien? ¡Vuelva a Londres! ¡Arranque esta noche! ¡Aléjese de este lugar a toda costa! ¡Silencio, viene mi hermano! Ni una palabra de lo que he dicho. ¿Le importaría buscarme esa orquídea entre las colas de yegua de allá? Somos muy ricos en orquídeas en el páramo, aunque, por supuesto, usted llega bastante tarde para ver las bellezas del lugar».

Stapleton había abandonado la persecución y volvió hacia nosotros respirando con dificultad y sonrojado por sus esfuerzos.

«¡Hola, Beryl!», dijo, y me pareció que el tono de su saludo no era del todo cordial.

«Bueno, Jack, tienes mucho calor».

«Sí, perseguía a un Cyclopides. Es muy raro y rara vez se encuentra a finales de otoño. ¡Qué lástima que se me haya escapado!». Hablaba despreocupadamente, pero sus pequeños ojos claros miraban sin cesar de la muchacha a mí.

«Ya veo que se han presentado».

«Sí. Le decía a Sir Henry que era bastante tarde para que viera las verdaderas bellezas del páramo».

«¿Por qué, quién crees que es?».

«Imagino que debe ser Sir Henry Baskerville».

«No, no», dije yo. «Sólo un humilde plebeyo, pero su amigo. Soy el Doctor Watson».

Un rubor de vejación pasó por su expresivo rostro. «Hemos estado hablando con propósitos cruzados», dijo ella.

«Vaya, no tenías mucho tiempo para hablar», comentó su hermano con los mismos ojos interrogantes.

«Hablé como si el Doctor Watson fuera un residente en lugar de un simple visitante», dijo ella. «No puede importarle mucho si es temprano o tarde para las orquídeas. Pero vendrá, ¿verdad?, y verá Merripit House».

Un corto paseo nos llevó hasta ella, una sombría casa de páramo, antaño la granja de algún ganadero en los viejos y prósperos tiempos, pero ahora reparada y convertida en una moderna vivienda. La rodeaba un huerto, pero los árboles, como es habitual en el páramo, estaban achaparrados y podados, y el efecto de todo el lugar era mezquino y melancólico. Nos admitió un extraño criado viejo, enjuto y con el pelo oxidado, que parecía estar en consonancia con la casa. En el interior, sin embargo, había grandes habitaciones amuebladas con una elegancia en la que me pareció reconocer el gusto de la dama. Al contemplar desde sus ventanas el interminable páramo salpicado de granito que se extendía ininterrumpidamente hasta el horizonte más lejano, no pude sino maravillarme de lo que podía haber llevado a este hombre tan culto y a esta hermosa mujer a vivir en un lugar así.

«Extraño lugar para elegir, ¿verdad?», dijo él como en respuesta a mi pensamiento. «Y sin embargo nos las arreglamos para ser bastante felices, ¿verdad, Beryl?».

«Bastante feliz», dijo ella, pero no había ningún timbre de convicción en sus palabras.

«Tenía una escuela», dijo Stapleton. «Estaba en el norte de la región. El trabajo para un hombre de mi temperamento era mecánico y poco interesante, pero el privilegio de convivir con la juventud, de ayudar a moldear esas mentes jóvenes y de imprimirles el carácter y los ideales propios me resultaba muy querido. Sin embargo, el destino estaba en nuestra contra. Se declaró una grave epidemia en la escuela y tres de los muchachos murieron. Nunca se recuperó del golpe y gran parte de mi capital se esfumó irremediablemente. Y sin embargo, si no fuera por la pérdida de la encantadora compañía de los muchachos, podría alegrarme de mi propia desgracia, ya que, con mis fuertes gustos por la botánica y la zoología, encuentro aquí un campo de trabajo ilimitado, y mi hermana es tan devota de la Naturaleza como yo. Todo esto, Doctor Watson, me lo ha traído a la cabeza su expresión, mientras contemplaba el páramo desde nuestra ventana».

«Ciertamente se me pasó por la cabeza que podría ser un poco aburrido... menos para usted, quizás, que para su hermana».

«No, no, nunca estoy aburrida», dijo ella rápidamente.

«Tenemos libros, tenemos nuestros estudios y tenemos vecinos interesantes. El Doctor Mortimer es un hombre muy erudito en su propia línea. El pobre Sir Charles era también un compañero admirable. Le conocimos bien y le echamos de menos más de lo que puedo contar. ¿Cree que sería una intromisión si viniera esta tarde y conociera a Sir Henry?».

«Estoy seguro de que estaría encantado».

«Entonces tal vez pueda mencionar que me propongo hacerlo. Podemos, a nuestra humilde manera, hacer algo para facilitarle las cosas hasta que se acostumbre a su nuevo entorno. ¿Quiere subir, Doctor Watson, e inspeccionar mi colección de lepidópteros? Creo que es la más completa del suroeste de Inglaterra. Para cuando les haya echado un vistazo el almuerzo estará casi listo».

Pero yo estaba ansioso por volver a mi cargo. La melancolía del páramo, la muerte del desafortunado poni, el extraño sonido que se había asociado a la tétrica leyenda de los Baskerville, todas estas cosas teñían de tristeza mis pensamientos. Luego, por encima de estas impresiones más o menos vagas, había llegado la advertencia definitiva y clara de la señorita Stapleton, pronunciada con una seriedad tan intensa que no podía dudar de que detrás de ella se escondía alguna razón grave y profunda. Resistí toda presión para quedarme a comer y emprendí de inmediato el camino de regreso, tomando el sendero cubierto de hierba por el que habíamos venido.

Parece, sin embargo, que debía de haber algún atajo para quienes lo conocían, pues antes de que hubiera llegado al camino me quedé atónita al ver a la señorita Stapleton sentada sobre una roca junto al camino. Su rostro estaba hermosamente sonrojado por sus esfuerzos y se llevaba la mano al costado.

«He corrido todo el camino para cortarle el paso, Doctor Watson», dijo ella. «Ni siquiera he tenido tiempo de ponerme el sombrero. No debo tardarme, o mi hermano podría echarme de menos. Quería decirle cuánto lamento el estúpido error que cometí al pensar que usted era Sir Henry. Por favor, olvide las palabras que le dije, que no tienen ninguna aplicación para usted».

«Pero no puedo olvidarlas, señorita Stapleton», dije yo. «Soy amigo de Sir Henry y su bienestar me preocupa muy de cerca. Dígame por qué estaba usted tan ansiosa de que Sir Henry regresara a Londres».

«Un capricho de mujer, Doctor Watson. Cuando me conozca mejor comprenderá que no siempre puedo dar razones de lo que digo o hago».

«No, no. Recuerdo la emoción en su voz. Recuerdo la mirada en sus ojos. Por favor, por favor, sea franca conmigo, señorita Stapleton, porque desde que estoy aquí soy consciente de las sombras que me rodean. La vida se ha vuelto como la gran Ciénaga de Grimpen, con pequeñas manchas verdes por todas partes en las que uno puede hundirse y sin ninguna guía que señale el camino. Dígame entonces qué es lo que quería decir, y le prometeré que transmitiré su advertencia a Sir Henry».

Una expresión de irresolución pasó por un instante por su rostro, pero sus ojos se habían endurecido de nuevo cuando me respondió.

«Le da demasiada importancia, Doctor Watson», dijo ella. «A mi hermano y a mí nos conmocionó mucho la muerte de Sir Charles. Le conocíamos muy íntimamente, pues su paseo favorito era por el páramo hasta nuestra casa. Estaba profundamente impresionado por la maldición que pesaba sobre la familia, y cuando llegó esta tragedia sentí naturalmente que debía haber algún motivo para los temores que él había expresado. Por eso me afligí cuando otro miembro de la familia vino a vivir aquí, y sentí que debía ser advertido del peligro que correría. Eso era todo lo que pretendía transmitir».

«¿Pero cuál es el peligro?».

«¿Conoce la historia del sabueso?».

«No creo en esas tonterías».

«Pero yo sí. Si tiene alguna influencia sobre Sir Henry, aléjelo de un lugar que siempre ha sido fatal para su familia. El mundo es amplio. ¿Por qué querría vivir en el lugar del peligro?».

«Porque es el lugar del peligro. Esa es la naturaleza de Sir Henry. Me temo que a menos que pueda darme alguna información más definitiva que ésta será imposible conseguir que se mueva».

«No puedo decir nada definitivo, porque no sé nada definitivo».

«Quisiera hacerle una pregunta más, señorita Stapleton. Si no pretendía más que esto cuando me habló por primera vez, ¿por qué no deseaba que su hermano escuchara lo que dijo? No hay nada a lo que él, o cualquier otra persona, pudiera oponerse».

«Mi hermano está muy ansioso de que el Hall sea habitado, pues piensa que es por el bien de la pobre gente del páramo. Se enfadaría mucho si supiera que he dicho algo que pudiera inducir a Sir Henry a marcharse. Pero ahora he cumplido con mi deber y no diré nada más. Debo volver o me echará de menos y sospechará que le he visto. Adiós». Se volvió y había desaparecido en pocos minutos entre los peñascos esparcidos, mientras yo, con el alma llena de vagos temores, seguía mi camino hacia Baskerville Hall.

CAPÍTULO 8 — PRIMER INFORME DEL DOCTOR WATSON

A partir de este punto seguiré el curso de los acontecimientos transcribiendo mis propias cartas al señor Sherlock Holmes que yacen ante mí sobre la mesa. Falta una página, pero por lo demás son exactamente como están escritos y muestran mis sentimientos y sospechas del momento con más exactitud de lo que mi memoria, clara como es sobre estos trágicos acontecimientos, posiblemente pueda hacerlo.

Baskerville Hall, 13 de octubre.

MI QUERIDO HOLMES,

Mis cartas y telegramas anteriores le han mantenido bastante al corriente de todo lo que ha ocurrido en este rincón del mundo tan olvidado de Dios. Cuanto más tiempo permanece uno aquí, más se hunde en el alma el espíritu del páramo, su inmensidad y también su sombrío encanto. Cuando uno se encuentra en su seno ha dejado atrás todo rastro de la Inglaterra moderna, pero, por otro lado, es consciente por todas partes de los hogares y el trabajo de los pueblos prehistóricos. Por todos lados, mientras camina, se encuentran las casas de estas gentes olvidadas, con sus tumbas y los enormes monolitos que se supone que marcaban sus templos. Al contemplar sus chozas de piedra gris contra las laderas cicatrizadas uno deja atrás su propia edad, y si viera a un hombre peludo y vestido de piel salir de la puerta baja encajando una flecha con punta de pedernal en la cuerda de su arco, sentiría que su presencia allí era más natural que la suya propia. Lo extraño es que vivieran tan densamente en lo que siempre debió de ser un suelo muy poco fructífero. No soy anticuario, pero podría imaginar que eran una raza poco belicosa y acosada que se vio obligada a aceptar lo que ningún otro ocuparía.

Todo esto, sin embargo, es ajeno a la misión para la que me envió y probablemente será muy poco interesante para su mente severamente práctica. Aún recuerdo su total indiferencia en cuanto a si el sol giraba alrededor de la tierra o la tierra alrededor del sol. Permítame, por tanto, volver a los hechos relativos a Sir Henry Baskerville.

Si no ha recibido ningún informe en los últimos días es porque hasta hoy no había nada importante que relatar. Entonces se produjo una circunstancia muy sorprendente, que le contaré a su debido tiempo. Pero, antes que nada, debo ponerle al corriente de algunos de los demás factores de la situación.

Uno de ellos, del que he hablado poco, es el convicto fugado del páramo. Ahora hay razones de peso para creer que se ha ido, lo que supone un alivio considerable para los solitarios propietarios de este distrito. Han pasado quince días desde su huida, durante los cuales no se le ha visto y no se ha sabido nada de él. Sin duda es inconcebible que pudiera haber resistido en el páramo durante todo ese tiempo. Por supuesto, en cuanto a ocultarse no hay ninguna dificultad. Cualquiera de estas cabañas de piedra le daría un escondite. Pero no hay nada que comer a menos que cazara y matara una de las ovejas del páramo. Creemos, por tanto, que se ha ido, y los granjeros de las afueras duermen mejor en consecuencia.

En esta casa somos cuatro hombres sanos, así que podríamos cuidar bien de nosotros mismos, pero confieso que he tenido momentos de inquietud cuando he pensado en los Stapleton. Viven a kilómetros de cualquier ayuda. Tienen una criada, un criado viejo, la hermana y el hermano, este último no es un hombre muy fuerte. Estarían indefensos en manos de un tipo desesperado como ese criminal de Notting Hill si lograba entrar. Tanto Sir Henry como yo estábamos preocupados por su situación, y se sugirió que Perkins, el mozo de cuadra, fuera a dormir allí, pero Stapleton no quiso oír hablar de ello.

El caso es que nuestro amigo, el baronet, empieza a mostrar un considerable interés por nuestra bella vecina. No es de extrañar, pues el tiempo pesa mucho en este paraje solitario para un hombre activo como él, y ella es una mujer muy fascinante y hermosa. Hay algo tropical y exótico en ella que forma un singular contraste con su frío e impasible hermano. Sin embargo, también da la idea de fuegos ocultos. Sin duda tiene una influencia muy marcada sobre ella, pues la he visto mirarle continuamente mientras hablaba como si buscara aprobación para lo que decía. Confío en que sea amable con ella. Hay un brillo seco en sus ojos y una firmeza en sus finos labios, que va con una naturaleza positiva y posiblemente dura. Le parecerá un estudio interesante.

Aquel primer día vino a visitar a Baskerville, y a la mañana siguiente nos llevó a los dos a mostrarnos el lugar donde se supone que tuvo su origen la leyenda del malvado Hugo. Fue una excursión de algunas millas a través del páramo hasta un lugar tan tétrico que podría haber sugerido la historia. Encontramos un corto valle entre escarpados montículos que conducía a un espacio abierto y herboso salpicado de la blanca hierba del algodón. En medio de él se alzaban dos grandes piedras, desgastadas y afiladas en el extremo superior hasta parecer los enormes colmillos corroídos de alguna bestia monstruosa. En todos los sentidos se correspondía con la escena de la vieja tragedia. Sir Henry se mostró muy interesado y preguntó a Stapleton más de una vez si creía realmente en la posibilidad de la interferencia de lo sobrenatural en los asuntos de los hombres. Hablaba con ligereza, pero era evidente que hablaba muy en serio. Stapleton fue cauto en sus respuestas, pero era fácil ver que decía menos de lo que podía y que no expresaba toda su opinión por consideración a los sentimientos del baronet. Nos habló de casos similares, en los que las familias habían sufrido alguna mala influencia, y nos dejó con la impresión de que compartía la opinión popular sobre el asunto.

De regreso nos quedamos a comer en Merripit House, y fue allí donde Sir Henry conoció a la señorita Stapleton. Desde el primer momento en que la vio pareció sentirse fuertemente atraído por ella, y mucho me equivoco si el sentimiento no fue mutuo. Se refirió a ella una y otra vez en nuestro paseo de regreso a casa, y desde entonces apenas ha pasado un día en el que no hayamos visto en alguna ocasión al hermano y la hermana. Cenan aquí esta noche y se habla de que iremos a verles la semana que viene. Uno se imaginaría que un emparejamiento así sería muy bien recibido por Stapleton, y sin embargo más de una vez he captado en su rostro una mirada de la más fuerte desaprobación cuando Sir Henry ha estado prestando alguna atención a su hermana. Está muy apegado, sin duda, y llevaría una vida solitaria sin ella, pero le parecería el colmo del egoísmo si obstaculizara que contrajera tan brillante matrimonio. Sin embargo, estoy seguro de que no desea que su intimidad madure hasta convertirse en amor, y he observado varias veces que se ha esforzado por evitar que estén *tête-à-tête*. Por cierto, las instrucciones que me dio de no permitir nunca que Sir Henry saliera solo se harían mucho más arduas si a nuestras otras dificultades se añadiera un asunto amoroso. Mi reputación no tardaría en resentirse si cumpliera sus órdenes al pie de la letra.

El otro día, el jueves para ser más exactos, el Doctor Mortimer almorzó con nosotros. Ha estado excavando un túmulo en Long Down y ha encontrado un cráneo prehistórico que le llena de gran alegría. ¡Nunca hubo un entusiasta tan decidido como él! Los Stapleton vinieron después y el buen doctor nos llevó a todos al callejón de los tejos a petición de Sir Henry para mostrarnos exactamente cómo ocurrió todo aquella noche fatal. Es un paseo largo y lúgubre, el callejón de los tejos, entre dos altos muros de seto recortado, con una estrecha franja de hierba a cada lado. En el extremo más alejado hay una vieja casa de verano derruida. A mitad de camino está la puerta del páramo, donde el viejo caballero dejó su ceniza. Es una puerta de madera blanca con pestillo. Más allá se extiende el ancho páramo. Recordé su teoría del asunto y traté de imaginarme todo lo que había ocurrido. Mientras el anciano estaba allí vio algo que se acercaba por el páramo, algo que le aterrorizó de tal manera que perdió la cordura y corrió y corrió hasta morir de puro horror y agotamiento. Estaba el largo y sombrío túnel por el que huyó. ¿Y de qué? ¿De un perro pastor del páramo? ¿O de un sabueso espectral, negro, silencioso y monstruoso? ¿Había una agencia humana en el asunto? ¿Sabía el pálido y vigilante Barrymore más de lo que le importaba decir? Todo era tenue y vago, pero siempre hay detrás la oscura sombra del crimen.

He conocido a otro vecino desde la última vez que escribí. Se trata del señor Frankland, de Lafter Hall, que vive a unas cuatro millas al sur de nosotros. Es un hombre mayor, de cara roja, pelo blanco y colérico. Su pasión es la ley británica, y ha gastado una gran fortuna en litigios. Pelea por el mero placer de pelear y está igualmente dispuesto a tomar partido por cualquiera de las dos partes de una cuestión, por lo que no es de extrañar que le haya resultado una diversión costosa. A veces cerrará un derecho de paso y desafiará a la parroquia para que le obligue a abrirlo. En otras, derribará con sus propias manos la verja de otro y declarará que allí ha existido un camino desde tiempos inmemoriales, desafiando al propietario a que le procese por allanamiento. Es un erudito en antiguos derechos señoriales y comunales, y aplica sus conocimientos unas veces a favor de los aldeanos de Fernworthy y otras en su contra, por lo que periódicamente es paseado en triunfo por la calle del pueblo o quemado en efigie, según su última hazaña. Se dice que en la actualidad tiene entre manos unos siete pleitos, que probablemente se tragarán el resto de su fortuna y así eliminarán su aguijón y le dejarán inofensivo para el futuro. Aparte de la ley, parece una persona amable y de buen carácter, y sólo lo menciono porque usted me insistió en que le enviara alguna descripción de la gente que nos rodea. En estos momentos está curiosamente ocupado, pues, al ser astrónomo aficionado, posee un excelente telescopio, con el que se tumba en el tejado de su propia casa y barre el páramo todo el día con la esperanza de vislumbrar al convicto fugado. Si limitara sus energías a esto todo iría bien, pero corren rumores de que pretende procesar al Doctor Mortimer por abrir una tumba sin el consentimiento de los familiares más próximos ya que desenterró el cráneo neolítico del túmulo de Long Down. Ayuda a que nuestras vidas no sean monótonas y aporta un poco de alivio cómico allí donde es muy necesario.

Y ahora, habiéndole puesto al día sobre el convicto fugado, los Stapleton, el Doctor Mortimer y Frankland, de Lafter Hall, permítame terminar con lo más importante y contarle más cosas sobre los Barrymore, y especialmente sobre el sorprendente suceso de anoche.

En primer lugar sobre el telegrama de prueba, que usted envió desde Londres para asegurarse de que Barrymore estaba realmente aquí. Ya he explicado que el testimonio del jefe de correos demuestra que el test carecía de valor y que no tenemos pruebas ni en un sentido ni en otro. Le conté a Sir Henry cómo estaba el asunto y él, de inmediato, a su manera directa, hizo subir a Barrymore y le preguntó si él mismo había recibido el telegrama. Barrymore dijo que sí.

«¿Lo entregó el muchacho en sus propias manos?», preguntó Sir Henry.

Barrymore pareció sorprendido y reflexionó durante un rato.

«No», dijo, «estaba en el trastero en ese momento y mi mujer me lo trajo».

«¿Lo contestó usted mismo?».

«No; le dije a mi mujer lo que tenía que responder y ella bajó a escribirlo».

Por la noche retomó el tema por iniciativa propia.

«No he entendido muy bien el objeto de sus preguntas de esta mañana, Sir Henry», dijo él. «Confío en que no signifiquen que he hecho algo para perder su confianza».

Sir Henry tuvo que asegurarle que no era así y apaciguarle regalándole una parte considerable de su antiguo guardarropa, ya que todo el vestuario londinense había llegado.

La señora Barrymore me interesa. Es una persona pesada y sólida, muy limitada, intensamente respetable e inclinada al puritanismo. Difícilmente podría concebirse una persona menos emotiva. Sin embargo, ya le he contado cómo, la primera noche aquí, la oí sollozar amargamente, y desde entonces más de una vez he observado rastros de lágrimas en su rostro. Algún profundo dolor roe siempre su corazón. A veces me pregunto si tiene un recuerdo culpable que la atormenta, y a veces sospecho que Barrymore es un tirano doméstico. Siempre he tenido la sensación de que había algo singular y cuestionable en el carácter de este hombre, pero la aventura de anoche hace que todas mis sospechas lleguen a un punto crítico.

Y sin embargo, puede parecer un asunto menor en sí mismo. Usted sabe que no tengo un sueño muy profundo, y desde que estoy de guardia en esta casa mis sueños han sido más ligeros que nunca. Anoche, hacia las dos de la madrugada, me despertó un paso sigiloso que pasaba por mi habitación. Me levanté, abrí la puerta y me asomé. Una larga sombra negra se arrastraba por el pasillo. La proyectaba un hombre que caminaba suavemente por el pasadizo con una vela en la mano. Iba en camisa y pantalones, sin cubrirse los pies. Sólo pude ver su silueta, pero su estatura me indicó que se trataba de Barrymore. Caminaba muy despacio y circunspecto, y había algo indescriptiblemente culpable y furtivo en todo su aspecto.

Como ya he dicho que el pasillo está interrumpido por el balcón que rodea la sala, pero que se reanuda en el lado opuesto. Esperé hasta que se hubo perdido de vista y entonces le seguí. Cuando di la vuelta al balcón él había llegado al final del pasillo más lejano, y pude ver por el resplandor de la luz a través de una puerta abierta que había entrado en una de las habitaciones. Ahora, todas estas habitaciones están sin amueblar y desocupadas por lo que su expedición se hizo más misteriosa que nunca. La luz brillaba fija como si estuviera inmóvil. Me arrastré por el pasillo tan silenciosamente como pude y me asomé por la esquina de la puerta.

Barrymore estaba agachado junto a la ventana con la vela apoyada contra el cristal. Su perfil estaba medio vuelto hacia mí y su rostro parecía rígido por la expectación mientras miraba fijamente hacia la negrura del páramo. Durante algunos minutos permaneció observando atentamente. Luego emitió un profundo gemido y con un gesto impaciente apagó la luz. Al instante me dirigí a mi habitación, y muy pronto llegaron los pasos sigilosos que emprendían de nuevo el viaje de regreso. Mucho tiempo después, cuando me había sumido en un sueño ligero, oí girar una llave en algún lugar de una cerradura, pero no pude decir de dónde procedía el sonido. No puedo adivinar qué significa todo esto, pero hay algún asunto secreto en marcha en esta casa de tinieblas y tarde o temprano llegaremos al fondo de él. No le molesto con mis teorías, pues usted me pidió que le proporcionara sólo hechos. He tenido una larga conversación con Sir Henry esta mañana, y hemos elaborado un plan de campaña basado en mis observaciones de anoche. No hablaré de ello ahora, pero debería hacer de mi próximo informe una lectura interesante.

CAPÍTULO 9 – LA LUZ SOBRE EL PÁRAMO
[SEGUNDO INFORME DEL DOCTOR WATSON]

Baskerville Hall, 15 de octubre.

MI QUERIDO HOLMES

Si me vi obligado a no darle muchas noticias durante los primeros días de mi misión, debe reconocer que estoy recuperando el tiempo perdido, y que los acontecimientos se agolpan ahora a gran velocidad sobre nosotros. En mi último informe terminé por lo más destacado con Barrymore en la ventana y ahora ya tengo una presupocisión que, a menos que me equivoque mucho, le sorprenderá considerablemente. Las cosas han dado un giro que no podía prever. En algunos aspectos se han aclarado mucho en las últimas cuarenta y ocho horas y en otros se han complicado. Pero se lo contaré todo y usted juzgará por sí mismo.

Antes del desayuno de la mañana siguiente a mi aventura, bajé al pasillo y examiné la habitación en la que Barrymore había estado la noche anterior. La ventana occidental por la que él había mirado tan fijamente tiene, según observé, una peculiaridad por encima de todas las demás ventanas de la casa: domina la vista más cercana al páramo. Hay una abertura entre dos árboles que permite contemplarlo desde este punto de vista, mientras que desde todas las demás ventanas sólo se puede obtener una visión lejana. Se deduce, por tanto, que Barrymore, puesto que sólo esta ventana serviría al propósito, debía de estar buscando algo o a alguien en el páramo. La noche era muy oscura, de modo que me cuesta imaginar cómo podía esperar ver a alguien. Se me había ocurrido que era posible que estuviera en marcha alguna intriga amorosa. Eso habría explicado sus sigilosos movimientos y también la inquietud de su esposa. El hombre es un tipo de aspecto atractivo, muy bien dotado para robarle el corazón a una muchacha de campo, de modo que esta teoría parecía tener algo que la apoyara. Aquella apertura de la puerta que había oído después de regresar a mi habitación podía significar que había salido para acudir a alguna cita clandestina. Así razoné conmigo mismo por la mañana, y le cuento el sentido de mis sospechas, por mucho que el resultado haya demostrado que eran infundadas.

Pero cualquiera que fuera la verdadera explicación de los movimientos de Barrymore, sentí que la responsabilidad de guardármelos hasta que pudiera explicarlos era más de lo que podía soportar. Tuve una entrevista con el baronet en su estudio después del desayuno, y le conté todo lo que había visto. Se sorprendió menos de lo que yo esperaba.

«Sabía que Barrymore paseaba por las noches, y tenía en mente hablarle a él de ello», dijo. «Dos o tres veces he oído sus pasos en el pasadizo, yendo y viniendo, más o menos a la hora que usted menciona».

«Tal vez entonces haga una visita cada noche a esa ventana en particular», sugerí.

«Tal vez lo haga. Si es así, deberíamos poder seguirle la pista y ver qué es lo que persigue. Me pregunto qué haría su amigo Holmes si estuviera aquí».

«Creo que haría exactamente lo que usted sugiere ahora», dije yo. «Seguiría a Barrymore y vería lo que hace».

«Entonces lo haremos juntos».

«Pero seguro que nos oiría».

«El hombre es bastante sordo, y en cualquier caso debemos arriesgarnos. Nos sentaremos en mi habitación esta noche y esperaremos a que pase». Sir Henry se frotó las manos con placer, y era evidente que acogía la aventura como un alivio a su vida un tanto tranquila en el páramo.

El baronet ha estado en comunicación con el arquitecto que preparó los planos para Sir Charles, y con un contratista de Londres, por lo que podemos esperar que pronto comiencen aquí grandes cambios. Han venido decoradores y amuebladores de Plymouth, y es evidente que nuestro amigo tiene grandes ideas y medios para no escatimar esfuerzos ni gastos para restaurar la grandeza de su familia. Cuando la casa esté renovada y amueblada, todo lo que necesitará será una esposa para completarla. Entre nosotros hay indicios bastante claros de que eso no faltará si la dama está dispuesta, pues pocas veces he visto a un hombre más encaprichado con una mujer que con nuestra hermosa vecina, la señorita Stapleton. Y sin embargo, el curso del amor verdadero no discurre tan suavemente como cabría esperar dadas las circunstancias. Hoy, por ejemplo, su superficie se ha visto rota por una ondulación muy inesperada, que ha causado a nuestro amigo una perplejidad y un enfado considerables.

Tras la conversación que he citado sobre Barrymore, Sir Henry se puso el sombrero y se dispuso a salir. Por supuesto, yo hice lo mismo.

«¿Qué, usted viene, Watson?», me preguntó, mirándome con curiosidad.

«Eso depende de si va al páramo», le dije.

«Sí, así es».

«Bueno, ya sabe cuáles son mis instrucciones. Siento entrometerme, pero ya oyó lo mucho que insistió Holmes en que no la dejara, y especialmente en que no fuera solo al páramo».

Sir Henry me puso la mano en el hombro con una agradable sonrisa.

«Mi querido amigo», dijo, «Holmes, con toda su sabiduría, no previó algunas cosas que han sucedido desde que estoy en el páramo. ¿Me entiende? Estoy seguro de que usted es el último hombre en el mundo que desearía ser un aguafiestas. Debo salir solo».

Me puso en una posición de lo más incómoda. No sabía qué decir ni qué hacer, y antes de que me hubiera decidido, él cogió su bastón y se fue.

Pero cuando pude reflexionar sobre el asunto, mi conciencia me reprochó amargamente el haber permitido bajo cualquier pretexto que se perdiera de mi vista. Imaginé cuáles serían mis sentimientos si tuviera que volver ante usted y confesarle que había ocurrido alguna desgracia por haber hecho caso omiso de sus instrucciones. Le aseguro que mis mejillas se sonrojaron con sólo pensarlo. Puede que ni siquiera ahora sea demasiado tarde para alcanzarle, así que salí de inmediato en dirección a Merripit House.

Recorrí el camino a toda velocidad sin ver nada de Sir Henry, hasta que llegué al punto en el que el camino del páramo se bifurca. Allí, temiendo que después de todo tal vez hubiera venido en la dirección equivocada, subí a una colina desde la que podía dominar la vista: la misma colina que se recorta en la oscura cantera. Desde allí le vi enseguida. Estaba en el camino del páramo, a un cuarto de milla, y a su lado había una dama que sólo podía ser la señorita Stapleton. Estaba claro que ya existía un entendimiento entre ellos y que se habían encontrado con cita previa. Caminaban lentamente en profunda conversación, y vi que ella hacía rápidos y pequeños movimientos con las manos como si fuera muy serio lo que decía, mientras él escuchaba atentamente y una o dos veces sacudía la cabeza en señal de fuerte desacuerdo. Me quedé entre las rocas observándoles, muy desconcertado sobre lo que debía hacer a continuación. Seguirlos e irrumpir en su conversación íntima me parecía un ultraje y, sin embargo, mi claro deber era no perderlo de vista ni un instante. Hacer de espía de un amigo era una tarea odiosa. Aun así, no veía mejor camino que observarle desde la colina y limpiar mi conciencia confesándole después lo que había hecho. Es cierto que si algún peligro repentino le hubiera amenazado yo estaba demasiado lejos para serle útil, y sin embargo estoy seguro de que usted estará de acuerdo conmigo en que la posición era muy difícil, y que no había nada más que yo pudiera hacer.

Nuestro amigo, Sir Henry, y la dama se habían detenido en el sendero y permanecían profundamente absortos en su conversación, cuando de pronto fui consciente de que yo no era el único testigo de su entrevista. Una brizna de verde que flotaba en el aire me llamó la atención, y otra mirada me mostró que la llevaba en un palo un hombre que se movía entre el terreno quebrado. Era Stapleton con su red para mariposas. Estaba mucho más cerca de la pareja que yo, y parecía moverse en su dirección. En ese instante, Sir Henry atrajo de pronto a la señorita Stapleton a su lado. La rodeaba con el brazo, pero me pareció que ella se apartaba de él con el rostro desviado. Él inclinó la cabeza hacia la de ella y ella levantó una mano como en señal de protesta. Al momento siguiente los vi separarse y darse la vuelta apresuradamente. Stapleton era el causante de la interrupción. Corría alocadamente hacia ellos, con su absurda red colgando tras él. Gesticulaba y casi bailaba de excitación delante de los amantes. No pude imaginar lo que significaba la escena, pero me pareció que Stapleton estaba ofendiendo a Sir Henry, que ofrecía explicaciones, cada vez más airadas a medida que el otro se negaba a aceptarlas. La dama permaneció en altivo silencio. Finalmente Stapleton giró sobre sus talones e hizo una seña perentoria a su hermana, quien, tras una mirada irresoluta a Sir Henry, se alejó al lado de su hermano. Los gestos de enfado del naturalista demostraron que la dama estaba incluida en su disgusto. El baronet se quedó un minuto mirándolos y luego regresó lentamente por donde había venido, con la cabeza gacha, la viva imagen del abatimiento.

No podía imaginar qué significaba todo aquello, pero me avergonzaba profundamente haber presenciado una escena tan íntima sin que mi amigo lo supiera. Corrí, pues, colina abajo y me encontré con el baronet en la parte baja. Tenía el rostro enrojecido por la ira y las cejas arrugadas, como quien no sabe qué hacer.

«¡Hola, Watson! ¿De dónde ha salido?», dijo él. «¿No querrá decir que ha venido a por mí a pesar de todo?».

Le expliqué todo: cómo me había sido imposible quedarme atrás, cómo le había seguido y cómo había sido testigo de todo lo ocurrido. Por un instante sus ojos se encendieron contra mí, pero mi franqueza desarmó su cólera y rompió al fin en una carcajada algo apenada.

«Se habría pensado que el centro de esa pradera era un lugar bastante seguro para que alguien estuviera en privado», dijo él, «pero, por los rayos, todo el campo parece haber salido a verme hacer mi cortejo, ¡y un cortejo muy pobre por cierto! ¿Dónde consiguió asiento?».

«Yo estaba en esa colina».

«Bastante en la última fila, ¿eh? Pero el hermano de ella estaba bien adelante. ¿Le vio salir hacia nosotros?».

«Sí, así es».

«¿Alguna vez le pareció que estaba loco, ese hermano de ella?».

«No puedo decir que lo haya hecho nunca».

«Me atrevo a decir que no. Siempre le he considerado bastante cuerdo hasta hoy, pero puede estar seguro de que tanto él como yo deberíamos llevar una camisa de fuerza. ¿Qué me pasa, de todos modos? Usted ha vivido cerca de mí durante algunas semanas, Watson. Dígamelo sin rodeos. ¿Hay algo que me impida ser un buen marido para una mujer a la que amo?».

«Yo diría que no».

«No puede oponerse a mi posición mundana, así que debo ser yo mismo a quien tiene en contra. ¿Qué tiene contra mí? Que yo sepa, nunca he hecho daño a un hombre o a una mujer en mi vida. Y sin embargo, él no me dejó ni tocar la punta de los dedos de ella».

«¿Eso dijo él?».

«Eso, y mucho más. Se lo digo, Watson, sólo la he conocido estas pocas semanas, pero desde el primer momento sentí que estaba hecha para mí, y ella también... era feliz cuando estaba conmigo, y eso se lo juro. Hay una luz en los ojos de una mujer que habla más fuerte que las palabras. Pero él nunca nos ha dejado estar juntos y sólo hoy, por primera vez, he visto la oportunidad de tener unas palabras con ella a solas. Se alegró de verme, pero cuando lo hizo no era de amor de lo que hablaba, y tampoco me habría dejado hablar de ello si hubiera podido evitarlo. Ella no dejaba de repetir que aquel era un lugar peligroso y que nunca sería feliz hasta que yo lo abandonara. Le dije que desde que la había visto no tenía ninguna prisa por dejarlo, y que si realmente quería que me fuera, la única manera de conseguirlo era que ella se pusiera de acuerdo para irse conmigo. Con eso me ofrecí en otras tantas palabras a casarme con ella, pero antes de que pudiera responder, bajó ese hermano suyo, corriendo hacia nosotros con cara de loco. Estaba blanco de rabia, y aquellos ojos claros suyos ardían de furia. ¿Qué estaba haciendo con la dama? ¿Cómo me atrevía a ofrecerle atenciones que eran desagradables para ella? ¿Acaso creía que por ser baronet podía hacer lo que quisiera? Si no hubiera sido su hermano habría sabido mejor cómo responderle. Así las cosas, le dije que mis sentimientos hacia su hermana eran tales que no me avergonzaba de ellos, y que esperaba que ella me honrara convirtiéndose en mi esposa. Aquello pareció no mejorar el asunto, así que entonces yo también perdí los estribos y le contesté bastante más acaloradamente de lo que tal vez debería, teniendo en cuenta que ella estaba al lado. Así que terminó marchándose con ella, como usted vio, y aquí estoy yo, un hombre tan desconcertado como el que más en este condado. Dígame qué significa todo esto, Watson, y le deberé más de lo que nunca podré esperar pagar».

Intenté una o dos explicaciones, pero, en realidad, yo mismo estaba completamente desconcertado. El título de nuestro amigo, su fortuna, su edad, su carácter y su aspecto están todos a su favor, y no sé nada en su contra, a menos que sea ese oscuro destino que corre por su familia. Que sus insinuaciones fueran rechazadas tan bruscamente sin ninguna referencia a los deseos de la dama y que ésta aceptara la situación sin protestar es muy sorprendente. Sin embargo, nuestras conjeturas fueron despejadas por una visita del propio Stapleton esa misma tarde. Había venido a disculparse por su descortesía de la mañana y, tras una larga entrevista privada con Sir Henry en su estudio, el resultado de su conversación fue que la brecha está bastante curada y que vamos a cenar en Merripit House el próximo viernes como muestra de ello.

«No digo ahora que no sea un loco», dijo Sir Henry; «no puedo olvidar la mirada de sus ojos cuando corrió hacia mí esta mañana, pero debo admitir que ningún hombre podría ofrecer una disculpa más elegante que la que él ha ofrecido».

«¿Dio alguna explicación de su conducta?».

«Su hermana lo es todo en su vida, dice. Eso es bastante natural, y me alegro de que comprenda su valor. Siempre han estado juntos y, según cuenta, ha sido un hombre muy solitario sólo con ella como compañera, por lo que la idea de perderla le resultaba realmente terrible. No había comprendido, dijo, que me estaba encariñando con ella, pero cuando vio con sus propios ojos que realmente era así, y que se la podían arrebatar, le produjo tal conmoción que durante un tiempo no se sintió responsable de lo que decía o hacía. Se sintió muy apenado por todo lo que había pasado, y reconoció lo tonto y lo egoísta que era imaginar que podía retener para sí a una mujer tan hermosa como su hermana durante toda su vida. Si tenía que permitirlo prefería que fuera a un vecino como yo antes que a cualquier otro. Pero en cualquier caso era un golpe para él y tardaría algún tiempo en poder prepararse para afrontarlo. Retiraría toda oposición por su parte si yo prometía durante tres meses dejar reposar el asunto y contentarme con cultivar la amistad de la dama durante ese tiempo sin reclamar su amor. Esto prometí, y así descansa el asunto».

Así se aclara uno de nuestros pequeños misterios. Es algo haber tocado fondo en alguna parte de esta ciénaga en la que estamos flotando.

Ahora sabemos por qué Stapleton miraba con desagrado al pretendiente de su hermana... incluso cuando ese pretendiente era tan codiciado como Sir Henry. Y ahora paso a otro hilo que he sacado de la enmarañada madeja, el misterio de los sollozos en la noche, del rostro manchado de lágrimas de la señora Barrymore, del viaje secreto del mayordomo a la ventana enrejada del oeste. Felicíteme, mi querido Holmes, y dígame que no le he decepcionado como agente... que no lamenta la confianza que depositó en mí cuando me envió. Todas estas cosas han quedado completamente aclaradas con una noche de trabajo.

He dicho «por el trabajo de una noche», pero, en realidad, fue por el trabajo de dos noches, pues en la primera nos quedamos completamente en blanco. Estuve sentado con Sir Henry en sus habitaciones hasta casi las tres de la mañana, pero no oímos ningún sonido salvo el campanilleo del reloj en las escaleras. Fue una vigilia de lo más melancólica y terminó cuando cada uno de nosotros se quedó dormido en su silla. Afortunadamente no nos desanimamos y decidimos intentarlo de nuevo. La noche siguiente bajamos la lámpara y nos sentamos a fumar cigarrillos sin hacer el menor ruido. Era increíble lo despacio que pasaban las horas y, sin embargo, nos ayudaba el mismo tipo de interés paciente que debe sentir el cazador cuando observa la trampa en la que espera que caiga la presa. Un golpe, y dos, y casi habíamos renunciado por segunda vez a la desesperación cuando en un instante ambos nos sentamos como un rayo en nuestras sillas con todos nuestros cansados sentidos agudamente alerta una vez más. Habíamos oído el crujido de un paso en el pasillo.

Muy sigilosamente lo oímos pasar hasta que se extinguió en la distancia. Entonces el baronet abrió suavemente su puerta y salimos en su persecución. Nuestro hombre ya había rodeado la galería y el pasillo estaba todo a oscuras. Nos escabullimos suavemente hasta que entramos en la otra ala. Llegamos justo a tiempo para vislumbrar la figura alta y de barba negra, con los hombros redondeados mientras avanzaba de puntillas por el pasillo. Luego pasó por la misma puerta que antes, y la luz de la vela la enmarcó en la oscuridad y disparó un único rayo amarillo a través de la penumbra del pasillo. Nos arrastramos cautelosamente hacia ella, probando cada tablón antes de atrevernos a poner todo nuestro peso sobre él. Habíamos tomado la precaución de dejar las botas, pero, aun así, las viejas tablas crujían y chirriaban bajo nuestro paso. A veces parecía imposible que no oyera que nos acercábamos. Sin embargo, el hombre es afortunadamente bastante sordo, y estaba totalmente concentrado en lo que estaba haciendo. Cuando por fin llegamos a la puerta y espiamos a través de ella le encontramos agazapado junto a la ventana, con una vela en la mano, su rostro blanco, lleno de intención, apretado contra el cristal, exactamente igual que le había visto yo dos noches antes.

No habíamos concertado ningún plan de campaña, pero el baronet es un hombre para quien el camino más directo es siempre el más natural. Entró en la habitación y, al hacerlo, Barrymore saltó de la ventana con un agudo silbido de su aliento y se plantó, lívido y tembloroso, ante nosotros. Sus ojos oscuros, que resplandecían en la máscara blanca de su rostro, estaban llenos de horror y asombro mientras miraba de Sir Henry a mí.

«¿Qué está haciendo aquí, Barrymore?».

«Nada, señor». Su agitación era tan grande que apenas podía hablar, y las sombras subían y bajaban por el temblor de su vela. «He venido a ver la ventana, señor. Doy vueltas por la noche para controlar que estén bien cerradas».

«¿En el segundo piso?».

«Sí, señor, todas las ventanas».

«Mire, Barrymore», dijo Sir Henry con severidad, «nos hemos decidido a sacarle la verdad, así que le ahorrará problemas decirla más pronto que tarde. Vamos. ¡Nada de mentiras! ¿Qué estabas haciendo en esa ventana?».

El tipo nos miró impotente y se retorció las manos como quien está al límite de la duda y la miseria.

«No estaba haciendo ningún daño, señor. Estaba sosteniendo una vela en la ventana».

«¿Y por qué estaba sosteniendo una vela contra la ventana?».

«¡No me pregunte, Sir Henry... no me pregunte! Le doy mi palabra, señor, de que no es mi secreto y de que no puedo contarlo. Si no concerniera a nadie más que a mí mismo, no trataría de ocultárselo».

Se me ocurrió una idea repentina y cogí la vela de la mano temblorosa del mayordomo.

«Debió de sostenerlo como una señal», dije. «Veamos si hay alguna respuesta». La sostuve como él había hecho y miré fijamente hacia la oscuridad de la noche. Vagamente pude discernir la orilla negra de los árboles y la extensión más clara del páramo, pues la luna estaba detrás de las nubes. Y entonces lancé un grito de júbilo, porque un minúsculo punto de luz amarilla había traspasado de repente el velo oscuro, y brillaba fijo en el centro del cuadrado negro enmarcado por la ventana.

«¡Ahí está!», grité.

«¡No, no, señor, no es nada... nada en absoluto!», interrumpió el mayordomo; «le aseguro, señor...».

«¡Mueva su luz a través de la ventana, Watson!», gritó el baronet. «¡Vea, la otra también se mueve! Ahora, bribón, ¿niega que es una señal? Vamos, ¡hable! ¿Quién es su cómplice allá afuera, y qué es esta conspiración que se está llevando a cabo?».

El rostro del hombre se tornó abiertamente desafiante. «Es asunto mío y no suyo. No lo contaré».

«Entonces abandone mi empleo de inmediato».

«Muy bien, señor. Si debo hacerlo, debo hacerlo».

«Y sepa que usted se va en desgracia. Rayos, bien puede darle vergüenza. Su familia ha vivido con la mía durante más de cien años bajo este techo, y aquí le encuentro metido en algún oscuro complot contra mí».

«¡No, no, señor; no, no contra usted!». Era una voz de mujer, y la señora Barrymore, más pálida y más horrorizada que su marido, estaba de pie en la puerta. Su voluminosa figura envuelta en un chal y una falda podría haber resultado cómica de no ser por la intensidad del sentimiento que se reflejaba en su rostro.

«Tenemos que irnos, Eliza. Este es el final. Puedes empaquetar nuestras cosas», dijo el mayordomo.

«Oh, John, John, ¿te he llevado a esto? Es obra mía, Sir Henry... toda mía. No ha hecho nada excepto por mí y porque yo se lo pedí».

«¡Hable, entonces! ¿Qué significa?».

«Mi infeliz hermano se muere de hambre en el páramo. No podemos dejar que perezca frente a nuestras mismas puertas. La luz es una señal para él indicándole que la comida suya ya está lista, y su luz allá afuera es para mostrarnos el lugar al que debemos llevarla».

«Entonces su hermano es...».

«El convicto fugado, señor... Selden, el criminal».

«Esa es la verdad, señor», dijo Barrymore. «Le dije que no era mi secreto y que no podía contárselo. Pero ahora lo ha oído y verá que si hubo un complot no fue contra usted».

Ésta era, pues, la explicación de las sigilosas expediciones nocturnas y de la luz en la ventana. Sir Henry y yo miramos asombrados a la mujer. ¿Era posible que aquella persona tan sólidamente respetable tuviera la misma sangre que uno de los criminales más notorios del país?

«Sí, señor, mi nombre era Selden, y él es mi hermano menor. Le seguimos demasiado la corriente cuando era un muchacho y le dimos rienda suelta en todo hasta que llegó a pensar que el mundo estaba hecho para su placer y que podía hacer lo que quisiera en él. Luego, a medida que crecía, conoció a compañeros malvados y el diablo entró en él hasta que rompió el corazón de mi madre y arrastró nuestro nombre por el suelo. De crimen en crimen fue cayendo cada vez más bajo hasta que sólo la misericordia de Dios lo ha arrebatado del cadalso; pero para mí, señor, siempre fue el pequeño muchacho de cabeza rizada al que yo había cuidado y con el que había jugado como lo haría una hermana mayor. Por eso salió de la cárcel, señor. Sabía que yo estaba aquí y que no podíamos negarnos a ayudarle. Cuando una noche se arrastró hasta aquí, cansado y hambriento, con los guardianes pisándole los talones, ¿qué podíamos hacer? Le acogimos, le dimos de comer y le cuidamos. Entonces usted regresó, señor, y mi hermano pensó que estaría más seguro en el páramo que en ningún otro sitio hasta que pasara el revuelo, así que se escondió allí. Pero cada dos noches nos asegurábamos de si seguía allí poniendo una luz en la ventana, y si había respuesta mi marido le llevaba algo de pan y carne. Cada día esperábamos que se hubiera ido, pero mientras estuviera allí no podíamos abandonarle. Esa es toda la verdad, ya que soy una mujer cristiana honesta y verá que si hay culpa en el asunto no es de mi marido sino mía, por cuyo bien ha hecho todo lo que ha hecho».

Las palabras de la mujer llegaron con una intensa seriedad que llevaba consigo la convicción.

«¿Es esto cierto, Barrymore?».

«Sí, Sir Henry. Cada palabra».

«Bueno, no puedo culparle por permanecer al lado de su propia esposa. Olvide lo que le he dicho. Vayan a su habitación, ustedes dos, y hablaremos más de este asunto por la mañana».

Cuando se hubieron ido volvimos a mirar por la ventana. Sir Henry la había abierto de par en par y el frío viento nocturno nos golpeaba en la cara. A lo lejos, en la negra lejanía, aún brillaba aquel diminuto punto de luz amarilla.

«Me sorprende que se atreva», dijo Sir Henry.

«Puede que esté colocado de tal forma que sólo sea visible desde aquí».

«Es muy probable. ¿A qué distancia cree que está?».

«Junto a Cleft Tor, creo».

«No más de una milla o dos de distancia».

«Mucho menos».

«Bueno, no puede estar lejos si Barrymore tuvo que llevarle la comida. Y está esperando, ese villano, junto a esa vela. ¡Rayos, Watson, voy a salir a coger a ese hombre!».

El mismo pensamiento había cruzado mi propia mente. No era como si los Barrymore nos hubieran hecho confidencias. Su secreto les había sido arrancado a la fuerza. El hombre era un peligro para la comunidad, un canalla sin paliativos para el que no había ni piedad ni excusa. Sólo cumplíamos con nuestro deber al aprovechar esta oportunidad de devolverlo a donde no pudiera hacer daño. Con su naturaleza brutal y violenta, otros tendrían que pagar el precio si nos callábamos. Cualquier noche, por ejemplo, nuestros vecinos los Stapleton podrían ser atacados por él, y puede que fuera el pensamiento de esto lo que hizo que Sir Henry se entusiasmara tanto con la aventura.

«Iré», dije yo.

«Entonces coja su revólver y póngase las botas. Cuanto antes partamos mejor, ya que el tipo puede apagar su luz y largarse».

En cinco minutos estábamos fuera de la puerta, emprendiendo nuestra expedición. Nos dimos prisa a través de los oscuros arbustos, entre el sordo gemido del viento otoñal y el susurro de las hojas que caían. El aire nocturno estaba cargado de olor a humedad y podredumbre. De vez en cuando la luna se asomaba un instante, pero las nubes recorrían la faz del cielo, y justo cuando salimos al páramo empezó a caer una fina lluvia. La luz seguía ardiendo con firmeza ante nosotros.

«¿Está armado?», pregunté.

«Tengo un látigo».

«Debemos acercarnos a él rápidamente, pues se dice que es un tipo desesperado. Le cogeremos por sorpresa y le tendremos a nuestra merced antes de que pueda resistirse».

«Digo yo, Watson», dijo el baronet, «¿qué diría Holmes a esto? ¿Qué opina de esa hora de oscuridad en la que se exalta el poder del mal?».

Como en respuesta a sus palabras, surgió de pronto de la vasta penumbra del páramo aquel extraño grito que ya había oído en los confines de la gran Ciénaga de Grimpen. Llegó con el viento a través del silencio de la noche, un murmullo largo y profundo, luego un aullido creciente y después el triste gemido en el que se extinguió. Sonaba una y otra vez, todo el aire palpitaba con él, estridente, salvaje y amenazador. El baronet me cogió de la manga y su rostro brilló blanco a través de la oscuridad.

«Dios mío, ¿qué es eso, Watson?».

«No lo sé. Es un sonido que emiten en el páramo. Lo oí una vez».

Se extinguió y un silencio absoluto se cerró sobre nosotros. Nos quedamos aguzando el oído, pero no se oía nada.

«Watson», dijo el baronet, «era el grito de un sabueso».

Se me heló la sangre en las venas, pues había un quiebre en su voz que delataba el repentino horror que se había apoderado de él.

«¿Cómo llaman a este sonido?», preguntó.

«¿Quiénes?».

«La gente del campo».

«Oh, son gente ignorante. ¿Por qué debería importarle cómo lo llaman?».

«Dígame, Watson. ¿Qué dicen de ella?».

Dudé pero no pude eludir la pregunta.

«Dicen que es el grito del Sabueso de los Baskerville».

Gimió y guardó silencio unos instantes.

«Era un sabueso», dijo al fin, «pero parecía venir de muy lejos, de más allá, creo».

«Era difícil decir de dónde venía».

«Subía y bajaba con el viento. ¿No es esa la dirección de la gran Ciénaga de Grimpen?».

«Sí, lo es».

«Bueno, venía de allí arriba. Vamos, Watson, ¿no pensó usted mismo que era el grito de un sabueso? No soy un niño. No debe temer decir la verdad».

«Stapleton estaba conmigo cuando lo oí por última vez. Dijo que podía ser la llamada de un pájaro extraño».

«No, no, era un sabueso. Dios mío, ¿puede haber algo de verdad en todas estas historias? ¿Es posible que realmente esté en peligro por una causa tan oscura? Usted no lo cree, ¿verdad, Watson?».

«No, no».

«Y sin embargo, una cosa era reírse de ello en Londres, y otra es estar aquí fuera, en la oscuridad del páramo, y oír un grito como ése. ¡Y mi tío! Estaba la huella del sabueso junto a él mientras yacía. Todo encaja. No creo que sea cobarde, Watson, pero ese sonido pareció helarme la sangre misma. Sienta mi mano».

Estaba tan fría como un bloque de mármol.

«Mañana estará bien».

«No creo que pueda quitarme ese grito de la cabeza. ¿Qué me aconseja que hagamos ahora?».

«¿Damos media vuelta?».

«No, rayos; hemos salido a por nuestro hombre, y lo haremos. Nosotros tras el convicto, y un sabueso infernal, lo más probable, tras nosotros. ¡Vamos! Lo lograremos aunque todos los demonios de la fosa estuvieran sueltos por el páramo».

Avanzamos lentamente a tropezones en la oscuridad, con el cerco negro de las escarpadas colinas a nuestro alrededor y la mancha de luz amarilla ardiendo sin cesar delante. No hay nada tan engañoso como la distancia de una luz en una noche completamente oscura, y a veces el destello parecía estar muy lejos en el horizonte y otras veces podría haber estado a pocas yardas de nosotros. Pero al final pudimos ver de dónde venía, y entonces supimos que, efectivamente, estábamos muy cerca. Una vela muy usada estaba clavada en una hendidura de las rocas que la flanqueaban a cada lado para que no le diera el viento y también para impedir que fuera visible, salvo en dirección a Baskerville Hall. Un peñasco de granito ocultaba nuestra proximidad y, agazapados tras él, contemplamos por encima la luz de la señal. Era extraño ver esa única vela ardiendo allí, en medio del páramo, sin ningún signo de vida cerca: sólo la única llama amarilla y recta y el resplandor de la roca a cada lado de ella.

«¿Qué haremos ahora?», susurró Sir Henry.

«Espere aquí. Debe estar cerca de su luz. Veamos si podemos vislumbrarle».

Las palabras apenas habían salido de mi boca cuando ambos lo vimos. Sobre las rocas, en cuya hendidura ardía la vela, asomaba un malvado rostro amarillo, un terrible rostro animal, todo cosido y surcado de viles pasiones. Sucio de fango, con la barba erizada y con el pelo enmarañado, bien podría haber pertenecido a uno de esos viejos salvajes que moraban en las madrigueras de las laderas. La luz que había bajo él se reflejaba en sus ojos pequeños y astutos que miraban con fiereza a derecha e izquierda a través de la oscuridad como un animal astuto y salvaje que ha oído los pasos de los cazadores.

Evidentemente, algo había despertado sus sospechas. Podía ser que Barrymore tuviera alguna señal privada que hubiéramos omitido dar, o el tipo podía tener alguna otra razón para pensar que no todo iba bien, pero yo podía leer sus temores en su malvado rostro. En cualquier instante podría apagar la luz y desvanecerse en la oscuridad. Por lo tanto, di un salto hacia delante y Sir Henry hizo lo mismo. En el mismo instante el convicto nos gritó una maldición y arrojó una roca que se hizo astillas contra el peñasco que nos había cobijado. Alcancé a ver su figura baja, agachada y de fuerte constitución mientras se ponía en pie de un salto y se daba la vuelta para echar a correr. En ese mismo momento, por una afortunada casualidad, la luna se abrió paso entre las nubes. Nos dimos prisa en cruzar la cresta de la colina, y allí estaba nuestro hombre corriendo a gran velocidad por el otro lado, saltando por encima de las piedras a su paso como una cabra montesa. Un disparo largo y afortunado de mi revólver podría haberlo mutilado, pero yo lo había traído sólo para defenderme si me atacaban y no para disparar a un hombre desarmado que huía.

Ambos éramos corredores veloces y estábamos bastante bien entrenados, pero pronto nos dimos cuenta de que no teníamos ninguna posibilidad de alcanzarle. Le vimos durante mucho tiempo a la luz de la luna hasta que no fue más que una pequeña mancha que se movía velozmente entre los peñascos de la ladera de una colina lejana. Corrimos y corrimos hasta quedar completamente exhaustos, pero el espacio que nos separaba era cada vez mayor. Finalmente nos detuvimos y nos sentamos jadeantes sobre dos rocas, mientras le veíamos desaparecer en la distancia.

Y fue en ese momento cuando ocurrió algo de lo más extraño e inesperado. Nos habíamos levantado de las rocas y nos dábamos la vuelta para volver a casa, habiendo abandonado la desesperada persecución. La luna estaba baja a la derecha, y el pináculo dentado de un peñasco de granito se alzaba contra la curva inferior de su disco plateado. Allí, perfilada tan negra como una estatua de ébano sobre aquel fondo brillante, vi la figura de un hombre sobre el peñasco. No crea que fue un delirio, Holmes. Le aseguro que nunca en mi vida he visto nada con mayor claridad. Por lo que pude juzgar, la figura era la de un hombre alto y delgado. Permanecía de pie con las piernas un poco separadas, los brazos cruzados y la cabeza inclinada, como si estuviera meditando sobre aquel enorme páramo de turba y granito que se extendía ante él. Podría haber sido el espíritu mismo de aquel terrible lugar. No era el convicto. Este hombre estaba muy lejos del lugar donde éste había desaparecido. Además, era un hombre mucho más alto. Con un grito de sorpresa se lo señalé al baronet, pero en el instante en que me había vuelto para agarrarle del brazo el hombre había desaparecido. Allí estaba el afilado pináculo de granito que aún recortaba el borde inferior de la luna, pero en su cima no había rastro de aquella figura silenciosa e inmóvil.

Yo deseaba ir en esa dirección y buscar el peñasco, pero estaba a cierta distancia. Los nervios del baronet aún temblaban por aquel grito, que recordaba la oscura historia de su familia, y no estaba de humor para nuevas aventuras. No había visto a aquel hombre solitario sobre el peñasco y no podía sentir la emoción que su extraña presencia y su actitud dominante me habían provocado. «Un guardián, sin duda», dijo. «El páramo está lleno de ellos desde que este tipo escapó». Puede que su explicación sea la correcta, pero me gustaría tener alguna prueba más de ello. Hoy nos proponemos comunicar a los habitantes de Princetown dónde deben buscar a su hombre desaparecido, pero es duro que no hayamos tenido el triunfo de traerlo de vuelta como nuestro propio prisionero. Tales son las aventuras de anoche, y debe reconocer, mi querido Holmes, que he hecho muy bien en informarle. Mucho de lo que le cuento es sin duda bastante irrelevante, pero aun así creo que lo mejor es que le facilite todos los hechos y le deje seleccionar por usted mismo aquellos que le serán más útiles para ayudarle a sacar sus conclusiones. Ciertamente estamos haciendo algunos progresos. En lo que respecta a los Barrymore hemos encontrado el motivo de sus acciones, y eso ha aclarado mucho la situación. Pero el páramo, con sus misterios y sus extraños habitantes, sigue siendo tan inescrutable como siempre. Tal vez en mi próxima entrega pueda arrojar algo de luz sobre esto también. Lo mejor sería que pudiera venir a vernos. En cualquier caso, volverá a tener noticias mías en el transcurso de los próximos días.

CAPÍTULO 10 – EXTRACTO DEL DIARIO DEL DOCTOR WATSON

Hasta ahora he podido citar los informes que remití durante estos primeros días a Sherlock Holmes. Ahora, sin embargo, he llegado a un punto de mi narración en el que me veo obligado a abandonar este método y a confiar una vez más en mis recuerdos, ayudado por el diario que llevaba entonces. Algunos extractos de este último me llevarán a aquellas escenas que están indeleblemente fijadas en todos sus detalles en mi memoria. Procedo, pues, a partir de la mañana que siguió a nuestra frustrada persecución del convicto y a nuestras otras extrañas experiencias en el páramo.

16 de octubre.– Un día apagado y brumoso con algo de lluvia. La casa está cubierta de nubes ondulantes, que se elevan de vez en cuando para mostrar las lóbregas curvas del páramo, con finas vetas plateadas en las laderas de las colinas, y los peñascos distantes brillando donde la luz incide sobre sus caras húmedas. Es melancólico por fuera y por dentro. El baronet está sumido en una oscura reacción tras las excitaciones de la noche. Yo mismo soy consciente de un peso en el corazón y de una sensación de peligro inminente... de peligro siempre presente, que es tanto más terrible cuanto que soy incapaz de definirlo.

¿Y no tengo motivos para tal sentimiento? Consideremos la larga secuencia de incidentes que han apuntado todos a alguna influencia siniestra que actúa a nuestro alrededor. Está la muerte del último ocupante del Hall, cumpliendo tan exactamente las condiciones de la leyenda familiar, y están los repetidos informes de los campesinos sobre la aparición de una extraña criatura en el páramo. Dos veces he oído con mis propios oídos el sonido que se asemejaba al aullido lejano de un sabueso. Es increíble, imposible, que realmente esté fuera de las leyes ordinarias de la naturaleza. Un sabueso espectral que deja huellas materiales y llena el aire con sus aullidos no es, desde luego, digno de consideración. Stapleton puede caer en tal superstición, y Mortimer también, pero si yo tengo una cualidad sobre la tierra es el sentido común, y nada me persuadirá a creer en tal cosa. Hacerlo sería descender al nivel de estos pobres campesinos, que no se contentan con un mero perro diabólico sino que deben describirlo necesariamente con el fuego del infierno saliendo de su boca y de sus ojos. Holmes no escucharía tales fantasías, y yo soy su agente. Pero los hechos son los hechos, y yo he oído dos veces ese llanto en el páramo. Supongamos que realmente hubiera algún sabueso enorme suelto por allí; eso lo explicaría todo. Pero

¿dónde podría estar oculto un sabueso así, de dónde sacaría su comida, de dónde vendría, cómo es que nadie lo vio de día? Hay que confesar que la explicación natural ofrece casi tantas dificultades como la otra. Y siempre, aparte del sabueso, está el hecho de la agencia humana en Londres, el hombre del taxi y la carta que advertía a Sir Henry contra el páramo. Esto al menos era real, pero podría haber sido obra de un amigo protector tan fácilmente como de un enemigo. ¿Dónde está ahora ese amigo o enemigo? ¿Se ha quedado en Londres o nos ha seguido hasta aquí? ¿Podría... podría ser el extraño que vi en el peñasco?

Es cierto que sólo le he echado un vistazo y, sin embargo, hay algunas cosas que estoy dispuesta a jurar. No es nadie a quien haya visto aquí abajo, y ahora he conocido a todos los vecinos. La figura era mucho más alta que la de Stapleton, mucho más delgada que la de Frankland. Posiblemente fuera Barrymore, pero lo habíamos dejado atrás y estoy seguro de que no podría habernos seguido. Un extraño, entonces, sigue persiguiéndonos, igual que un extraño nos persiguió en Londres. Nunca nos lo hemos quitado de encima. Si pudiera poner mis manos sobre ese hombre, entonces por fin podríamos encontrarnos al final de todas nuestras dificultades. A este único propósito debo dedicar ahora todas mis energías.

Mi primer impulso es contarle a Sir Henry todos mis planes. El segundo y más sabio es jugar mi propio juego y hablar lo menos posible con nadie. Él está callado y distraído. Sus nervios han sido extrañamente sacudidos por ese sonido en el páramo. No diré nada que aumente su ansiedad, sino que daré mis propios pasos para alcanzar mi propio fin.

Esta mañana tuvimos una pequeña escena después del desayuno. Barrymore pidió permiso para hablar con Sir Henry, y estuvieron encerrados en su estudio un rato. Sentado en la sala de billar oí más de una vez el sonido de voces que se alzaban, y tuve una idea bastante aproximada de cuál era el punto que se estaba discutiendo. Al cabo de un rato, el baronet abrió su puerta y me llamó. «Barrymore considera que tiene una queja», dijo. «Cree que fue injusto por nuestra parte perseguir a su cuñado cuando él, por propia voluntad, nos había contado el secreto».

El mayordomo estaba de pie ante nosotros, muy pálido pero muy sereno.

«Puede que haya sido demasiado efusivo, señor», dijo, «y si lo he sido, estoy seguro de que le ruego que me disculpe. Al mismo tiempo, me sorprendí mucho cuando les oí a ustedes dos caballeros volver esta mañana y supe que habían estado persiguiendo a Selden. El pobre ya tiene bastante contra lo que luchar como para que yo le añada más a su camino».

«Si nos lo hubiera contado por propia voluntad habría sido otra cosa», dijo el baronet, «usted sólo nos lo contó, o mejor dicho, su esposa sólo nos lo contó, cuando se lo impusieron y no pudo evitarlo».

«No creí que se hubiera aprovechado de ello, Sir Henry... de hecho, no lo creí».

«El hombre es un peligro público. Hay casas solitarias diseminadas por el páramo, y es un tipo que no se detendría ante nada. Basta con echarle un vistazo a la cara para darse cuenta de ello. Mire la casa del señor Stapleton, por ejemplo, sin nadie más que él para defenderla. No hay seguridad para nadie hasta que él esté bajo llave».

«No entrará en ninguna casa, señor. Le doy mi palabra solemne sobre eso. Pero no volverá a molestar a nadie en este país. Le aseguro, Sir Henry, que en muy pocos días se habrán hecho los arreglos necesarios y estará de camino a Sudamérica. Por el amor de Dios, señor, le ruego que no permita que la policía sepa que sigue en el páramo. Han renunciado a la persecución allí, y él puede estar tranquilo hasta que el barco esté listo para él. No puede delatarle sin meternos en problemas a mi mujer y a mí. Le ruego, señor, que no diga nada a la policía».

«¿Qué me dice, Watson?».

Me encogí de hombros. «Si estuviera a salvo fuera del país aliviaría al contribuyente de una carga».

«¿Pero qué hay de la posibilidad de que atraque a alguien antes de irse?».

«No haría nada tan loco, señor. Le hemos proporcionado todo lo que puede desear. Cometer un crimen sería demostrar dónde se esconde».

«Eso es cierto», dijo Sir Henry. «Bueno, Barrymore...».

«¡Dios lo bendiga, señor, y se lo agradezco de corazón! Habría matado a mi pobre esposa si se lo hubieran vuelto a llevar».

«¿Supongo que somos cómplices de un delito, Watson? Pero, después de lo que hemos oído no me siento como si pudiera entregar al hombre, así que se acabó. Muy bien, Barrymore, puede irse».

Con unas palabras entrecortadas de gratitud, el hombre se volvió, pero vaciló y luego regresó.

«Ha sido tan amable con nosotros, señor, que me gustaría hacer lo mejor que pueda por usted a cambio. Sé algo, Sir Henry, y quizá debería haberlo dicho antes, pero fue mucho después de la investigación cuando lo descubrí. Nunca he dicho una palabra de ello a un mortal. Se trata de la muerte del pobre Sir Charles».

El baronet y yo nos pusimos en pie. «¿Sabe cómo murió?».

«No, señor, no lo sé».
«¿Entonces qué?».
«Sé por qué estaba en la puerta a esa hora. Fue para encontrarse con una mujer».
«¡Para encontrarse con una mujer! ¿Él?».
«Sí, señor».
«¿Y el nombre de la mujer?».
«No puedo darle el nombre, señor, pero sí las iniciales. Sus iniciales eran L. L.».
«¿Cómo lo sabe, Barrymore?».
«Bien, Sir Henry, su tío recibió una carta esa mañana. Normalmente tenía muchas cartas, pues era un hombre público y muy conocido por su buen corazón, de modo que todo aquel que estaba en apuros se complacía en acudir a él. Pero aquella mañana, por casualidad, sólo había esta carta, por lo que me fijé más en ella. Era de Coombe Tracey, y estaba remitida con letra de mujer».
«¿Y bien?».
«Bueno, señor, no pensé más en el asunto, y nunca lo habría hecho de no haber sido por mi esposa. Hace sólo unas semanas ella estaba limpiando el estudio de Sir Charles —nunca había sido tocado desde su muerte— y encontró las cenizas de una carta quemada en el fondo de la rejilla. La mayor parte estaba carbonizada en pedazos, pero un pequeño trozo, el final de una página, permanecía entero y la escritura aún podía leerse, aunque era gris sobre fondo negro. Nos pareció que era una posdata al final de la carta y decía: "Por favor, por favor, como es usted un caballero, queme esta carta y esté en la puerta a las diez". Debajo estaban firmadas las iniciales L. L.».
«¿Tienes ese papel?».
«No, señor, se hizo pedazos después de que lo desplazáramos».
«¿Había recibido Sir Charles alguna otra carta con la misma letra?».
«Bueno, señor, no hacía especial caso de sus cartas. No me habría fijado en ésta, sólo que casualmente venía sola».
«¿Y no tiene ni idea de quién es L. L.?».
«No, señor. No más de la que usted tiene. Pero supongo que si pudiéramos ponerle las manos encima a esa dama sabríamos más sobre la muerte de Sir Charles».
«No puedo entender, Barrymore, cómo llegó a ocultar esta importante información».
«Bueno, señor, fue inmediatamente después que nuestro propio problema surgió. Y además, señor, los dos queríamos mucho a Sir Charles,

como bien podría ser considerando todo lo que ha hecho por nosotros. Sacar esto a relucir no podría ayudar a nuestro pobre amo, y es bueno ir con cuidado cuando hay una dama en el caso. Incluso el mejor de nosotros...».

«¿Pensó que podría dañar su reputación?».

«Bueno, señor, pensé que nada bueno podría salir de ello. Pero ahora usted ha sido amable con nosotros, y siento que sería un trato injusto no decirle todo lo que sé sobre el asunto».

«Muy bien, Barrymore; puede irse». Cuando el mayordomo nos hubo dejado, Sir Henry se volvió hacia mí. «Bien, Watson, ¿qué piensa de esta nueva luz?».

«Parece que deja la oscuridad bastante más negra que antes».

«Eso creo. Pero si sólo pudiéramos rastrear a L. L. se aclararía todo el asunto. Hemos ganado mucho. Sabemos que hay alguien que tiene los hechos si tan sólo podemos encontrarle. ¿Qué cree que deberíamos hacer?».

«Que Holmes lo sepa todo de inmediato. Le dará la pista que ha estado buscando. Me equivoco mucho si no le hace venir».

Me dirigí de inmediato a mi habitación y redacté mi informe de la conversación de la mañana para Holmes. Me resultó evidente que había estado muy ocupado últimamente, pues las notas que me llegaban de Baker Street eran escasas y breves, sin comentarios sobre la información que yo le había proporcionado y sin apenas referencias a mi misión. Sin duda su caso de chantaje está absorbiendo todas sus facultades. Sin embargo, este nuevo factor debe sin duda captar su atención y renovar su interés. Ojalá estuviera aquí.

17 de octubre.— Durante todo el día de hoy ha llovido a cántaros, crujiendo en la hiedra y goteando de los aleros. Pensé en el convicto en el páramo sombrío, frío y sin refugio. ¡Pobre diablo! Sean cuales sean sus crímenes, algo habrá sufrido para expiarlos. Y luego pensé en ese otro... el rostro en el taxi, la figura contra la luna. ¿Estaba él también fuera, en aquel diluvio... el vigilante invisible, el hombre de las tinieblas? Al atardecer me puse el impermeable y caminé lejos por el páramo empapado, lleno de oscuras imaginaciones, con la lluvia golpeándome la cara y el viento silbándome en los oídos. Que Dios ayude ahora a los que vagan por la gran ciénaga, pues incluso las firmes tierras altas se están convirtiendo en un lodazal. Encontré el peñasco negro sobre el que había visto al vigilante solitario, y desde su escarpada cima contemplé yo mismo las melancólicas colinas. Las borrascas de lluvia se deslizaban por su cara rojiza, y las pesadas nubes de color pizarra se cernían bajas sobre

el paisaje, arrastrándose en coronas grises por las laderas de las fantásticas colinas. En la distante hondonada de la izquierda, medio ocultas por la niebla, las dos delgadas torres de Baskerville Hall se elevaban por encima de los árboles. Eran los únicos signos de vida humana que podía ver, salvo aquellas cabañas prehistóricas que se extendían densamente por las laderas de las colinas. En ninguna parte había rastro alguno de aquel hombre solitario al que había visto en el mismo lugar dos noches antes.

Mientras caminaba de regreso me alcanzó el Doctor Mortimer conduciendo su carreta por un áspero camino de páramo que salía de la granja apartada de Foulmire. Ha sido muy atento con nosotros y apenas ha pasado un día sin que visitara el Hall para ver cómo nos iba. Insistió en que me subiera a su carreta y me llevó de vuelta a casa. Le encontré muy preocupado por la desaparición de su pequeño spaniel. Se había adentrado en el páramo y nunca había regresado. Le di todo el consuelo que pude, pero pensé en el poni de la Ciénaga de Grimpen y no creo que vuelva a ver a su perrito.

«Por cierto, Mortimer», le dije mientras traqueteábamos por la áspera carretera, «¿supongo que hay pocas personas que vivan a poca distancia de aquí que usted no conozca?».

«Casi ninguna, creo».

«¿Puede, entonces, decirme el nombre de alguna mujer cuyas iniciales sean L. L.?».

Pensó durante unos minutos.

«No», dijo él. «Hay algunos gitanos y jornaleros por los que no puedo responder, pero entre los granjeros o la alta burguesía no hay nadie cuyas iniciales sean esas. Pero espere un poco», añadió tras una pausa. «Está Laura Lyons —sus iniciales son L. L.— pero vive en Coombe Tracey».

«¿Quién es ella?», pregunté.

«Es la hija de Frankland».

«¡Qué! ¿El viejo Frankland, el maniático?».

«Exactamente. Se casó con un artista llamado Lyons, que vino a dibujar al páramo. Resultó ser un canalla y la abandonó. Por lo que he oído, puede que la culpa no fuera enteramente de uno de los dos. Su padre se negó a tener nada que ver con ella porque se había casado sin su consentimiento y quizá también por una o dos razones más. Así que, entre el viejo pecador y el joven, la muchacha lo ha pasado bastante mal».

«¿De qué vive?».

«Me imagino que el viejo Frankland le concede una miseria, pero no puede ser más, pues sus propios asuntos están considerablemente comprometidos. Fuera lo que fuera lo que ella mereciera, uno no podía permitir que se fuera irremediablemente a la ruina. Su historia se difundió y varios de los presentes hicieron algo para que pudiera ganarse la vida honradamente. Stapleton lo hizo por ejemplo, y Sir Charles. Yo mismo hice una insignificancia. Fue para instalarla en un negocio de mecanografía».

Quiso saber el objeto de mis pesquisas, pero me las arreglé para satisfacer su curiosidad sin decirle demasiado, pues no hay razón para que nos tomemos a nadie en confianza. Mañana por la mañana me dirigiré a Coombe Tracey, y si consigo ver a esta señora Laura Lyons, de reputación equívoca, se habrá dado un largo paso hacia el esclarecimiento de un incidente en esta cadena de misterios. Ciertamente estoy desarrollando la sabiduría de la serpiente, pues cuando Mortimer insistió en sus preguntas hasta un punto inconveniente le pregunté casualmente a qué tipo pertenecía el cráneo de Frankland, y así no oí más que craniología durante el resto de nuestro trayecto. No he convivido durante años con Sherlock Holmes en vano.

Sólo tengo otro incidente que registrar en este día tempestuoso y melancólico. Se trata de mi conversación con Barrymore hace un momento, que me proporciona una carta fuerte más que podré jugar a su debido tiempo.

Mortimer se había quedado a cenar, y él y el baronet jugaron después al écarté. El mayordomo me trajo el café a la biblioteca y aproveché para hacerle algunas preguntas.

«Bien», le dije, «¿se ha marchado este precioso pariente suyo, o sigue acechando por ahí?».

«No lo sé, señor. Espero por todos los cielos que se haya ido, ¡porque no ha traído más que problemas aquí! No he oído hablar de él desde la última vez que le dejé comida, y eso fue hace tres días».

«¿Lo vio entonces?».

«No, señor, pero la comida ya no estaba cuando volví a pasar por allí».

«Entonces, ¿seguro que estaba allí?».

«Eso pensaría usted, señor, a menos que fuera el otro hombre quien se la llevara».

Me senté con la taza de café a medio camino de los labios y miré fijamente a Barrymore.

«¿Sabe entonces que hay otro hombre?».

«Sí, señor; hay otro hombre en el páramo».

«¿Le ha visto?».

«No, señor».

«¿Cómo sabe de él entonces?».

«Selden me habló de él, señor, hace una semana o más. También está escondido, pero no es un convicto por lo que he podido averiguar. No me gusta, Doctor Watson... Le digo directamente, señor, que no me gusta». Habló con repentina pasión y seriedad.

«¡Escúcheme, Barrymore! No tengo más interés en este asunto que el de su amo. No he venido aquí con otro objeto que el de ayudarle. Dígame, francamente, qué es lo que no le gusta».

Barrymore vaciló un momento, como si lamentara su arrebato o le resultara difícil expresar con palabras sus propios sentimientos.

«Son todos estos tejemanejes, señor», exclamó al fin, agitando la mano hacia la ventana azotada por la lluvia que daba al páramo. «¡Hay juego sucio en alguna parte, y se está gestando una oscura perversidad, eso se lo juro! Me alegraría mucho, señor, ver a Sir Henry de regreso a Londres».

«¿Pero qué es lo que le alarma?».

«¡Mire la muerte de Sir Charles! Eso fue bastante malo, por todo lo que dijo el forense. Mire los ruidos en el páramo por la noche. No hay un solo hombre que lo cruzaría después del atardecer aunque le pagaran por ello. ¡Mire a este extraño escondido allá afuera, vigilando y esperando! ¿Qué está esperando? ¿Qué significa? No significa nada bueno para nadie que se apellide Baskerville, y me alegraré mucho de librarme de todo esto el día en que los nuevos sirvientes de Sir Henry estén listos para hacerse cargo del Hall».

«Pero sobre ese desconocido», dije yo. «¿Puede decirme algo sobre él? ¿Qué dijo Selden? ¿Averiguó dónde se escondía o qué hacía?».

«Lo vio una o dos veces, pero es un individuo profundo y no delata nada. Al principio pensó que era la policía, pero pronto se dio cuenta de que tenía sus propias andanzas. Era una especie de caballero, por lo que pudo ver, pero no pudo descifrar lo que hacía».

«¿Y dónde dijo que vivía?».

«Entre las viejas casas de la ladera... las chozas de piedra donde vivían los ancestros».

«¿Pero qué hay de su comida?».

«Selden descubrió que tiene un muchacho que trabaja para él y le trae todo lo que necesita. Me atrevo a decir que va a Coombe Tracey a por lo que quiere».

«Muy bien, Barrymore. Podemos seguir hablando de esto en otra ocasión». Cuando el mayordomo se hubo marchado, me acerqué a la negra ventana y miré a través de un cristal borroso las nubes arremolinadas y la silueta agitada de los árboles azotados por el viento. Es una noche salvaje en el interior, y lo que debe ser en una cabaña de piedra en el páramo. ¡Qué pasión odiosa puede ser la que lleva a un hombre a acechar en un lugar así a esas horas! ¿Y qué propósito profundo y sincero puede tener que le exija someterse a semejante prueba? Allí, en esa cabaña del páramo, parece encontrarse el centro mismo de ese problema que tanto me ha atormentado. Juro que no habrá pasado otro día antes de que haya hecho todo lo que un hombre puede hacer para llegar al corazón del misterio.

CAPÍTULO 11 – EL HOMBRE SOBRE EL PEÑASCO

El extracto de mi diario privado que forma el último capítulo ha llevado mi narración hasta el dieciocho de octubre, momento en que estos extraños acontecimientos comenzaron a avanzar rápidamente hacia su terrible conclusión. Los incidentes de los días siguientes están indeleblemente grabados en mi memoria y puedo relatarlos sin referencia a las notas tomadas en aquel momento. Los comienzo a partir del día que siguió a aquel en el que había establecido dos hechos de gran importancia, el uno que la señora Laura Lyons de Coombe Tracey había escrito a Sir Charles Baskerville y concertado una cita con él en el mismo lugar y hora en que encontró la muerte, el otro que el hombre que acechaba en el páramo se encontraba entre las cabañas de piedra de la ladera. Con estos dos hechos en mi poder sentí que o mi inteligencia o mi valor debían ser deficientes si no podía arrojar algo más de luz sobre estos lugares oscuros.

No tuve ocasión de contarle al baronet lo que había averiguado sobre la señora Lyons la noche anterior, pues el Doctor Mortimer permaneció con él jugando a las cartas hasta que se hizo muy tarde. En el desayuno, sin embargo, le informé de mi descubrimiento y le pregunté si le gustaría acompañarme a Coombe Tracey. Al principio estaba muy ansioso por venir, pero pensándolo mejor nos pareció a ambos que si yo iba solo los resultados podrían ser mejores. Cuanto más formal hiciéramos la visita menos información podríamos obtener. Por lo tanto, dejé atrás a Sir Henry, no sin cierto remordimiento de conciencia, y partí en mi nueva búsqueda.

Cuando llegué a Coombe Tracey le dije a Perkins que preparara los caballos e hice averiguaciones para encontrar a la dama a la que había venido a interrogar. No me costó encontrar sus aposentos, que eran céntricos y estaban bien acondicionados. Una doncella me hizo pasar sin ceremonias, y al entrar en el salón una señora, que estaba sentada ante una máquina de escribir Remington, se levantó con una agradable sonrisa de bienvenida. Su rostro decayó, sin embargo, al ver que yo era un desconocido, volvió a sentarse y me preguntó el objeto de mi visita.

La primera impresión que me causó la señora Lyons fue de extrema belleza. Sus ojos y su pelo eran del mismo rico color avellana, y sus mejillas, aunque considerablemente pecosas, estaban sonrosadas con la exquisita floración de la morena, el delicado rosa que se esconde en el corazón de la rosa azufre. La admiración fue, repito, la primera impresión. Pero la segunda fue la crítica. Había algo sutilmente errado en el rostro, cierta tosquedad de expresión, cierta dureza, tal vez, de ojos, cierta soltura de labios que empañaba su perfecta belleza. Pero éstas, por supuesto, son reflexiones posteriores. En aquel momento era simplemente consciente de que estaba en presencia de una mujer muy atractiva, y de que ella me preguntaba las razones de mi visita. Hasta ese instante no había comprendido del todo lo delicada que era mi misión.

«Tengo el placer», le dije, «de conocer a su padre».

Fue una presentación torpe, y la señora me lo hizo sentir. «No hay nada en común entre mi padre y yo», dijo. «No le debo nada, y sus amigos no son los míos. Si no fuera por el difunto Sir Charles Baskerville y algunos otros corazones bondadosos podría haberme muerto de hambre por todo lo que le importaba a mi padre».

«He venido a verla en relación al difunto Sir Charles Baskerville».

Las pecas se encendieron en el rostro de la dama.

«¿Qué puedo decirle de él?», preguntó ella, y sus dedos jugaron nerviosos sobre los topes de su máquina de escribir.

«Usted le conoció, ¿verdad?».

«Ya he dicho que le debo mucho a su amabilidad. Si soy capaz de mantenerme se debe en gran parte al interés que él se tomó por mi desgraciada situación».

«¿Mantuvo correspondencia con él?».

La dama levantó rápidamente la vista con un brillo furioso en sus ojos color avellana.

«¿Cuál es el objeto de estas preguntas?», preguntó bruscamente.

«El objeto es evitar un escándalo público. Es mejor que las haga aquí a que el asunto escape a nuestro control».

Permaneció en silencio y su rostro seguía muy pálido. Por fin levantó la vista con algo temerario y desafiante en sus maneras.

«Bien, responderé», dijo. «¿Cuáles son sus preguntas?».

«¿Mantuvo correspondencia con Sir Charles?».

«Ciertamente le escribí una o dos veces para reconocer su delicadeza y su generosidad».

«¿Tiene las fechas de esas cartas?».

«No».

«¿Alguna vez se reunió con él?».

«Sí, una o dos veces, cuando vino a Coombe Tracey. Era un hombre muy retraído, y prefería hacer el bien con discreción».

«Pero si le veía tan pocas veces y le escribía tan poco, ¿cómo sabía lo suficiente sobre sus asuntos como para poder ayudarle, como usted dice que ha hecho?».

Afrontó mi dificultad con la mayor presteza.

«Había varios caballeros que conocían mi triste historia y se unieron para ayudarme. Uno era el señor Stapleton, vecino e íntimo amigo de Sir Charles. Era sumamente amable, y fue a través de él que Sir Charles se enteró de mis asuntos».

Yo ya sabía que Sir Charles Baskerville había hecho de Stapleton su limosnero en varias ocasiones, así que la declaración de la dama llevaba la impronta de la verdad.

«¿Le escribió alguna vez a Sir Charles pidiéndole que se reuniera con usted?», continué.

La señora Lyons volvió a enrojecer de ira. «Realmente, señor, ésta es una pregunta muy extraordinaria».

«Lo siento, señora, pero debo repetirla».

«Entonces le respondo que ciertamente no».

«¿Tampoco el mismo día de la muerte de Sir Charles?».

El rubor se había desvanecido en un instante y tenía ante mí un rostro sepulcral. Sus labios secos no podían pronunciar el «No» que yo veía más que oía.

«Seguramente su memoria la engaña», le dije. «Podría incluso citar un pasaje de su carta. Decía: "Por favor, por favor, como es usted un caballero, queme esta carta y esté en la puerta a las diez"».

Pensé que se había desmayado, pero se recuperó con un esfuerzo supremo.

«¿Es que no existen los caballeros?», jadeó ella.

«Comete usted una injusticia con Sir Charles. Él quemó la carta. Pero a veces una carta puede ser legible incluso cuando ha sido quemada. ¿Reconoce ahora que usted la escribió?».

«Sí, la escribí», exclamó ella, derramando su alma en un torrente de palabras. «Sí, la escribí. ¿Por qué debería negarlo? No tengo motivos para avergonzarme de ello. Deseaba que me ayudara. Creí que si tenía una entrevista podría obtener su ayuda, así que le pedí que se reuniera conmigo».

«¿Pero por qué a esa hora?».

«Porque acababa de enterarme de que se iba a Londres al día siguiente y podría estar fuera durante meses. Había razones por las que no podía llegar antes».

«¿Pero por qué una cita en el jardín en lugar de una visita a la casa?».

«¿Cree que una mujer podría ir sola a esas horas a casa de un soltero?».

«Bueno, ¿qué pasó cuando llegó allí?».
«Nunca fui».
«¡Señora Lyons!».
«No, se lo juro por todo lo que considero sagrado. Nunca fui. Algo intervino para impedir que fuera».
«¿Qué ocurrió?».
«Eso es un asunto privado. No puedo contarlo».
«Reconoce entonces que concertó una cita con Sir Charles a la misma hora y en el mismo lugar en que él encontró la muerte, pero niega haber acudido a la cita».
«Esa es la verdad».
Una y otra vez la interrogué, pero nunca pude superar ese punto.
«Señora Lyons», le dije al levantarme de esta larga e inconclusa entrevista, «está usted asumiendo una gran responsabilidad y colocándose en una posición muy falsa al no hacer una declaración absolutamente limpia de todo lo que sabe. Si tengo que recurrir a la ayuda de la policía se dará cuenta de lo seriamente comprometida que está. Si su posición es inocente, ¿por qué negó en primera instancia haber escrito a Sir Charles en esa fecha?».
«Porque temía que de ello pudiera extraerse alguna conclusión falsa y verme envuelta en un escándalo».
«¿Y por qué presionaba tanto para que Sir Charles destruyera su carta?».
«Si ha leído la carta lo sabrá».
«No he dicho que haya leído toda la carta».
«Usted citó una parte».
«Cité la posdata. La carta, como he dicho, había sido quemada y no era del todo legible. Le pregunto una vez más por qué presionaba tanto para que Sir Charles destruyera esta carta que recibió el día de su muerte».
«El asunto es muy privado».
«Razón de más para que evite una investigación pública».
«Se lo diré, entonces. Si ha oído algo de mi desgraciada historia sabrá que contraje un matrimonio precipitado y tuve motivos para arrepentirme».
«He oído hasta ahí».
«Mi vida ha sido una incesante persecución por parte de un marido al que aborrezco. La ley está de su parte y cada día me enfrento a la posibilidad de que me obligue a vivir con él. En el momento en que escribí esta carta a Sir Charles me había enterado de que había una perspectiva de que recuperara mi libertad si se podía hacer frente a ciertos gastos.

Significaba todo para mí: tranquilidad, felicidad, amor propio... todo. Conocía la generosidad de Sir Charles y pensé que si oía la historia de mis propios labios me ayudaría».

«Entonces, ¿cómo es que no fue?».

«Porque en el intervalo recibí ayuda de otra fuente».

«¿Por qué entonces no escribió a Sir Charles y le explicó esto?».

«Así lo habría hecho si no hubiera visto su muerte en el periódico a la mañana siguiente».

La historia de la mujer mantenía la coherencia y todas mis preguntas eran incapaces de desbaratarla. Sólo podía comprobarlo averiguando si, efectivamente, había iniciado un proceso de divorcio contra su marido en el momento de la tragedia o en torno a él.

Era poco probable que se atreviera a decir que no había estado en Baskerville Hall si realmente había estado, ya que sería necesaria un carruaje ligero para llevarla allí, y no podría haber regresado a Coombe Tracey hasta altas horas de la madrugada. Una excursión así no podía mantenerse en secreto. Lo más probable era, por tanto, que estuviera diciendo la verdad o, al menos, una parte de la verdad. Salí desconcertado y descorazonado. Una vez más había llegado a ese muro infranqueable que parecía levantarse a través de cada camino por el que intentaba llegar al objeto de mi misión. Y sin embargo, cuanto más pensaba en el rostro de la dama y en sus modales, más sentía que algo se me ocultaba. ¿Por qué debía ponerse tan pálida? ¿Por qué se resistía a admitirlo hasta que la obligaba a hacerlo? ¿Por qué se había mostrado tan reticente en cuanto al momento de la tragedia? Seguramente la explicación de todo esto no podía ser tan inocente como ella quería hacerme creer. Por el momento yo no podía avanzar más en esa dirección, sino que debía volver a esa otra pista que había que buscar entre las cabañas de piedra del páramo.

Y esa era una dirección muy vaga. Me di cuenta de ello mientras conducía de vuelta y observaba cómo una colina tras otra mostraban rastros de los antiguos pobladores. La única indicación de Barrymore había sido que el forastero vivía en una de estas cabañas abandonadas, y hay muchos cientos de ellas esparcidas a lo largo y ancho del páramo. Pero yo tenía mi propia experiencia como guía, ya que me había mostrado al propio hombre de pie sobre la cima del Peñasco Negro. Ese, pues, debía ser el centro de mi búsqueda. Desde allí debería explorar todas las cabañas del páramo hasta dar con la correcta. Si ese hombre estaba en su interior, debería averiguar de sus propios labios, a punta de revólver si era necesario, quién era y por qué nos había perseguido tanto tiempo.

Podría escabullirse de nosotros entre la multitud de Regent Street, pero le desconcertaría hacerlo en el páramo solitario. Por otra parte, si encontraba la cabaña y su inquilino no estaba dentro, debía permanecer allí, por larga que fuera la vigilia, hasta que regresara. Holmes le había perdido en Londres. Sería sin duda un triunfo para mí si pudiera atraparlo donde mi maestro había fracasado.

La suerte había estado una y otra vez en nuestra contra en esta investigación, pero ahora por fin vino en mi ayuda. Y el mensajero de la buena fortuna no era otro que el señor Frankland, que estaba de pie, con los bigotes grises y la cara colorada, ante la puerta de su jardín, que daba a la carretera por la que yo viajaba.

«Buenos días, Doctor Watson», exclamó con inusitado buen humor, «realmente debe dar un descanso a sus caballos y entrar a tomar una copa de vino y felicitarme».

Mis sentimientos hacia él estaban muy lejos de ser amistosos después de lo que había oído del trato que daba a su hija, pero estaba ansioso por enviar a Perkins y a la carreta a casa, y la oportunidad era buena. Me apeé y envié un mensaje a Sir Henry diciendo que llegaría a tiempo para la cena. Luego seguí a Frankland hasta su comedor.

«Es un gran día para mí, señor... uno de los días más memorables de mi vida», exclamó entre risas. «He provocado un doble acontecimiento. Quiero enseñarles por estos lares que la ley es la ley, y que aquí hay un hombre que no teme invocarla. He establecido un derecho de paso por el centro del parque del viejo Middleton, cruzándolo de un bofetón, señor, a menos de cien yardas de su propia puerta principal. ¿Qué le parece? Les enseñaremos a esos magnates que no pueden pisotear los derechos de los plebeyos, ¡que se mueran! Y he cerrado el bosque donde la gente de Fernworthy solía ir de picnic. Esta gente infernal parece pensar que no existen los derechos de propiedad y que pueden pulular donde quieran con sus papeles y sus botellas. Ambos casos decididos, Doctor Watson, y ambos a mi favor. No había tenido un día así desde que detuve a Sir John Morland por allanamiento porque disparó en su propio recinto».

«¿Cómo demonios lo hizo?».

«Búsquelo en los libros, señor. Vale la pena leerlo... Frankland contra Morland, Tribunal de Queen's Bench. Me costó doscientas libras, pero conseguí mi veredicto».

«¿Le sirvió de algo?».

«De nada, señor, de nada. Me enorgullece decir que no tengo ningún interés en el asunto. Actúo enteramente por sentido del deber público.

No tengo ninguna duda, por ejemplo, de que la gente de Fernworthy me quemará en efigie esta noche. La última vez que lo hicieron le dije a la policía que debería poner fin a estas vergonzosas exhibiciones. La policía del condado está en un estado escandaloso, señor, y no me ha proporcionado la protección a la que tengo derecho. El caso de Frankland contra Regina pondrá el asunto en conocimiento del público. Les dije que tendrían ocasión de arrepentirse del trato que me habían dado, y ya se han cumplido mis palabras».

«¿Cómo es eso?», pregunté.

El anciano puso una expresión muy cómplice. «Porque podría decirles lo que se mueren por saber; pero nada me induciría a ayudar a los granujas de ninguna manera».

Había estado buscando alguna excusa con la que poder alejarme de sus cotilleos, pero ahora empecé a desear oír más. Había visto lo suficiente de la naturaleza contraria del viejo pecador como para comprender que cualquier señal fuerte de interés sería la forma más segura de poner fin a sus confidencias.

«Algún caso de caza furtiva, sin duda», dije con indiferencia.

«¡Ja, ja, muchacho, un asunto mucho más importante que ese! ¿Qué pasa con el convicto del páramo?».

Me quedé mirando. «¿No querrá decir que sabe dónde está?», dije.

«Puede que no sepa exactamente dónde está, pero estoy bastante seguro de que podría ayudar a la policía a ponerle las manos encima. ¿Nunca se le ha ocurrido que la forma de atrapar a ese hombre era averiguar dónde conseguía su comida y así rastrearla hasta él?».

Ciertamente parecía estar acercándose incómodamente a la verdad. «Sin duda», dije yo; «pero ¿cómo sabe que está en algún lugar del páramo?».

«Lo sé porque he visto con mis propios ojos al mensajero que le lleva la comida».

Mi corazón se hundió por Barrymore. Era grave estar en poder de este viejo entrometido rencoroso. Pero su siguiente comentario me quitó un peso de encima.

«Le sorprenderá saber que su comida se la lleva un niño. Lo veo todos los días a través de mi telescopio en el tejado. Pasa por el mismo camino a la misma hora, ¿y a quién podría ir sino a lo del convicto?».

¡Aquí sí que hubo suerte! Y, sin embargo, reprimí toda apariencia de interés. ¡Un niño! Barrymore había dicho que nuestro desconocido era abastecido por un muchacho. Fue sobre su pista, y no sobre la del convicto, sobre la que Frankland había tropezado. Si podía conseguir su conocimiento podría ahorrarme una larga y fatigosa cacería. Pero la incredulidad y la indiferencia eran evidentemente mis cartas más fuertes.

«Yo diría que era mucho más probable que se tratara del hijo de uno de los pastores del páramo llevando la cena de su padre».

La menor apariencia de oposición encendió al viejo autócrata. Sus ojos me miraron malignamente y sus bigotes grises se erizaron como los de un gato furioso.

«¡Claro que no, señor!», dijo, señalando hacia el extenso páramo. «¿Ve aquel peñasco negro de allí? ¿Ve la colina baja de más allá con el espino sobre ella? Es la parte más pedregosa de todo el páramo. ¿Es un lugar donde sería probable que un pastor tomara su puesto? Su sugerencia, señor, es de lo más absurda».

Le respondí mansamente que había hablado sin conocer todos los hechos. Mi sumisión le complació y le llevó a nuevas confidencias.

«Puede estar seguro, señor, de que tengo muy buenos fundamentos antes de llegar a una opinión. He visto al muchacho una y otra vez con su fardo. Todos los días, y a veces dos veces al día, he podido... pero espere un momento, Doctor Watson. ¿Me engañan mis ojos, o hay en este momento algo moviéndose en esa colina?».

Estaba a varias millas de distancia, pero podía ver claramente un pequeño punto oscuro contra el verde y el gris apagados.

«¡Venga, señor, venga!», exclamó Frankland, apresurándose a subir. «Lo verá con sus propios ojos y juzgará por sí mismo».

El telescopio, un formidable instrumento montado sobre un trípode, se alzaba sobre los plomos planos de la casa. Frankland lo observó y lanzó un grito de satisfacción.

«¡Rápido, Doctor Watson, rápido, antes de que pase por la colina!».

Allí estaba, efectivamente, un pequeño pilluelo con un pequeño fardo al hombro, subiendo lentamente la colina. Cuando llegó a la cresta, vi la andrajosa y tosca figura perfilada por un instante contra el frío cielo azul. Miró a su alrededor con aire furtivo y sigiloso, como quien teme ser perseguido. Luego desapareció por la colina.

«¡Bueno! ¿Estoy en lo cierto?».

«Ciertamente, hay un muchacho que parece tener algún recado secreto».

«Y cuál es el recado hasta un alguacil del condado podría adivinarlo. Pero no les diré ni una palabra, y usted también está obligado a guardar el secreto, Doctor Watson. ¡Ni una palabra! ¿Entiende?».

«Como usted desee».

«Me han tratado vergonzosamente... vergonzosamente. Cuando se conozcan los hechos en Frankland contra Regina me atrevo a pensar que un estremecimiento de indignación recorrerá el país. Nada me induciría a ayudar a la policía en modo alguno. Por lo que a ellos respecta, podría haber sido yo, en lugar de mi efigie, a quien esos bribones quemaran en la hoguera. ¡Seguro que no se va! ¡Me ayudará a vaciar la jarra en honor de esta gran ocasión!».

Pero resistí todas sus solicitaciones y logré disuadirle de su anunciada intención de acompañarme a casa. Me mantuve en el camino mientras su mirada estuvo puesta en mí, y luego partí a través del páramo y me dirigí hacia la colina pedregosa por la que el muchacho había desaparecido. Todo jugaba a mi favor y juré que no sería por falta de energía o de perseverancia por lo que desaprovecharía la oportunidad que la fortuna había puesto en mi camino.

El sol ya se estaba ocultando cuando llegué a la cima de la colina, y las espaciosas laderas que había debajo de mí eran todo verde dorado por un lado y sombra gris por el otro. Una neblina se cernía sobre la línea del cielo más lejana, de la que sobresalían las fantásticas formas de Belliver y Vixen Tor. Sobre la amplia extensión no había sonido ni movimiento. Un gran pájaro gris, una gaviota o zarapito, se elevaba en el cielo azul. Él y yo parecíamos ser los únicos seres vivos entre el enorme arco del cielo y el desierto que había debajo. La árida escena, la sensación de soledad y el misterio y la urgencia de mi tarea me helaron el corazón. El muchacho no aparecía por ninguna parte. Pero debajo de mí, en una hendidura de las colinas, había un círculo de las viejas cabañas de piedra, y en medio de ellas había una que conservaba suficiente techo para servir de refugio contra la intemperie. Mi corazón dio un salto dentro de mí al verla. Aquélla debía de ser la madriguera donde acechaba el forastero. Por fin mi pie estaba en el umbral de su escondite... su secreto estaba a mi alcance.

Al acercarme a la cabaña, caminando tan cautelosamente como Stapleton cuando con la red apuntada se acercaba a la mariposa asentada, me convencí de que el lugar había sido utilizado efectivamente como morada. Un vago sendero entre las rocas conducía a la destartalada abertura que hacía las veces de puerta. Todo estaba en silencio en el interior. El desconocido podría estar acechando allí, o podría estar merodeando por el páramo. Mis nervios hormigueaban con la sensación de aventura. Tirando a un lado mi cigarrillo, cerré la mano sobre la culata de mi revólver y, caminando rápidamente hasta la puerta, miré dentro. El lugar estaba vacío.

Pero había amplios indicios de que no había dado con un falso rastro.

Sin duda era aquí donde vivía el hombre. Unas mantas enrolladas en un impermeable yacían sobre la misma losa de piedra sobre la que una vez había dormido el hombre neolítico. Las cenizas de un fuego estaban amontonadas en una tosca rejilla. Junto a ella yacían algunos utensilios de cocina y un cubo medio lleno de agua. Un montón de latas vacías demostraban que el lugar había estado ocupado durante algún tiempo, y vi, cuando mis ojos se acostumbraron a la luz ajedrezada, una cantimplora y una botella de licor medio llena que estaban en un rincón. En el centro de la cabaña una piedra plana hacía las veces de mesa, y sobre ella había un pequeño fardo de tela... el mismo, sin duda, que había visto a través del telescopio sobre el hombro del muchacho. Contenía una hogaza de pan, una lengua en conserva y dos latas de melocotones en conserva. Al dejarla de nuevo en el suelo, después de haberla examinado, mi corazón dio un salto al ver que debajo había una hoja de papel con algo escrito. La levanté, y esto fue lo que leí, toscamente garabateado a lápiz: «El Doctor Watson ha ido a Coombe Tracey».

Durante un minuto me quedé de pie con el papel en las manos pensando en el significado de este lacónico mensaje. Era yo, entonces, y no Sir Henry, quien estaba siendo perseguido por este hombre secreto. No me había seguido él mismo, sino que había puesto a un agente —el muchacho, tal vez— tras mi pista, y éste era su informe. Posiblemente yo no había dado ningún paso desde que estaba en el páramo que no hubiera sido observado e informado. Siempre existía esa sensación de una fuerza invisible, una fina red tendida a nuestro alrededor con infinita habilidad y delicadeza, que nos sujetaba tan ligeramente que sólo en algún momento supremo uno se daba cuenta de que, en efecto, estaba enredado en sus mallas.

Si había un informe podía haber otros, así que miré alrededor de la cabaña en su busca. Sin embargo, no había ni rastro de nada parecido, ni pude descubrir ninguna señal que pudiera indicar el carácter o las intenciones del hombre que habitaba este singular lugar, salvo que debía de ser de costumbres espartanas y que le importaban poco las comodidades de la vida. Cuando pensé en las fuertes lluvias y miré el techo agujereado comprendí cuán fuerte e inmutable debía ser el propósito que le había retenido en aquella inhóspita morada. ¿Era nuestro maligno enemigo o era por casualidad nuestro ángel de la guarda? Juré que no abandonaría la cabaña hasta que lo supiera.

Fuera, el sol se ocultaba y el oeste resplandecía de escarlata y oro. Su reflejo era devuelto en manchas rojizas por los lejanos estanques que se extendían en medio de la gran Ciénaga de Grimpen. Allí estaban las dos torres de Baskerville Hall, y allí una distante mancha de humo que marcaba el pueblo de Grimpen. Entre las dos, detrás de la colina, estaba la casa de los Stapleton. Todo era dulce y meloso y apacible a la luz dorada del atardecer y sin embargo, mientras los contemplaba, mi alma no compartía nada de la paz de la Naturaleza sino que se estremecía ante la vaguedad y el terror de aquella entrevista que se acercaba más a cada instante. Con los nervios crispados pero un propósito fijo, me senté en el oscuro recoveco de la cabaña y esperé con sombría paciencia la llegada de su inquilino.

Y por fin lo oí. A lo lejos llegó el agudo tintineo de una bota golpeando una piedra. Luego otro y otro más, cada vez más cerca. Me encogí en el rincón más oscuro y amartillé la pistola que llevaba en el bolsillo, decidido a no mostrarme hasta que tuviera la oportunidad de ver algo del desconocido. Hubo una larga pausa que demostró que se había detenido. Luego, una vez más, los pasos se acercaron y una sombra se cernió sobre la abertura de la cabaña.

«Hace una tarde preciosa, mi querido Watson», dijo una voz conocida. «Realmente creo que estará más cómodo fuera que dentro».

CAPÍTULO 12 — MUERTE EN EL PÁRAMO

Durante un momento o dos me quedé sin aliento, apenas capaz de creer lo que oía. A continuación mis sentidos y mi voz volvieron a mí, mientras que un aplastante peso de responsabilidad pareció en un instante levantarse de mi alma. Aquella voz fría, incisiva e irónica sólo podía pertenecer a un hombre en todo el mundo.

«¡Holmes!», grité... «¡Holmes!».

«Salga», dijo él, «y por favor, tenga cuidado con el revólver».

Me agaché bajo el tosco dintel y allí estaba él sentado sobre una piedra en el exterior, con sus ojos grises bailando divertidos al posarse sobre mis asombradas facciones. Estaba delgado y ajado, pero claro y alerta, su rostro afilado bronceado por el sol y rugoso por el viento. Con su traje de tweed y su gorra de paño se parecía a cualquier otro turista del páramo y se las había ingeniado, con ese amor felino por la limpieza personal que era una de sus características, para que su barbilla fuera tan lisa y su ropa blanca tan perfecta como si estuviera en Baker Street.

«Nunca me he alegrado más de ver a nadie en mi vida», dije mientras le retorcía la mano.

«O asombrado más, ¿eh?».

«Bueno, debo confesarlo».

«La sorpresa no fue sólo de un lado, se lo aseguro. No tenía la más remota idea de que usted había encontrado mi refugio ocasional, y menos aún de que estaba dentro de él, hasta que estuve a menos de veinte pasos de la puerta».

«¿Mi huella, supongo?».

«No, Watson, me temo que no podría comprometerme a reconocer su huella entre todas las huellas del mundo. Si desea engañarme seriamente, debe cambiar de tabaquería; porque cuando veo la colilla de un cigarrillo marcada como "Bradley, Oxford Street", sé que mi amigo Watson está en los alrededores. La verá allí, junto al camino. La tiró, sin duda, en ese momento supremo en que arremetió contra la cabaña vacía».

«Exactamente».

«Eso pensé... y conociendo su admirable tenacidad, estaba convencido de que usted estaba acechando, con un arma al alcance de la mano, esperando a que regresara el inquilino. ¿Así que realmente pensó que yo era el criminal?».

«No sabía quién era usted, pero estaba decidido a averiguarlo».

«¡Excelente, Watson! ¿Y cómo me localizó? ¿Me vio, tal vez, la noche de la caza del convicto, cuando fui tan imprudente como para permitir que la luna saliera detrás de mí?».

«Sí, le vi entonces».

«¿Y sin duda ha registrado todas las cabañas hasta llegar a ésta?».

«No, su muchacho había sido observado, y eso me dio una guía donde buscar».

«El viejo caballero con el telescopio, sin duda. No pude distinguirlo cuando vi por primera vez la luz parpadeando sobre la lente». Se levantó y se asomó a la cabaña. «Ja, veo que Cartwright ha traído algunas provisiones. ¿Qué es este papel? Así que ha estado en Coombe Tracey, ¿verdad?».

«Sí».

«¿Para ver a la señora Lyons?».

«Exactamente».

«¡Bien hecho! Nuestras investigaciones han seguido evidentemente líneas paralelas, y cuando unamos nuestros resultados espero que tengamos un conocimiento bastante completo del caso».

«Bueno, me alegro de todo corazón de que esté aquí, pues en realidad tanto la responsabilidad como el misterio estaban siendo demasiado para mis nervios. Pero, en nombre de Dios, ¿cómo ha llegado hasta aquí y qué ha estado haciendo? Creía que estaba en Baker Street resolviendo ese caso de chantaje».

«Eso era lo que deseaba que pensara».

«¡Entonces me utiliza y, sin embargo, no confía en mí!», exclamé con cierta amargura. «Creo que he merecido algo mejor en sus manos, Holmes».

«Mi querido amigo, usted ha sido inestimable para mí en este como en muchos otros casos, y le ruego que me perdone si he parecido jugarle una mala pasada. En realidad, lo hice en parte por su propio bien, y fue mi apreciación del peligro que corría lo que me llevó a venir y examinar el asunto por mí mismo. Si hubiera estado con Sir Henry y con usted, es seguro que mi punto de vista habría sido el mismo que el suyo, y mi presencia habría advertido a nuestros muy formidables adversarios para que se pusieran en guardia. Así las cosas, he podido desenvolverme como no podría haberlo hecho de haber estado viviendo en el Hall, y sigo siendo un factor desconocido en el asunto, dispuesto a arrojar todo mi peso en un momento crítico».

«¿Pero por qué mantenerme en la ignorancia?».

«Que usted lo supiera no nos habría ayudado y posiblemente habría conducido a mi descubrimiento. Habría querido decirme algo, o en su amabilidad me habría proporcionado alguna que otra comodidad, y así se correría un riesgo innecesario. Traje a Cartwright conmigo... recuerda usted al muchachito de la oficina del periódico... y él se ha ocupado de mis sencillas necesidades: una hogaza de pan y un cuello limpio. ¿Qué más quiere un hombre? Me ha dado un par de ojos extra sobre un par de pies muy activos, y ambos han sido inestimables».

«¡Entonces mis informes han sido en vano!»... Me temblaba la voz al recordar las penas y el orgullo con que los había compuesto.

Holmes sacó un fajo de papeles de su bolsillo.

«Aquí están sus informes, mi querido amigo, y muy bien hojeados, se lo aseguro. Hice unos preparativos excelentes, y sus informes sólo se han retrasado un día en su camino. Debo felicitarle sobremanera por el celo y la inteligencia que ha demostrado en un caso extraordinariamente difícil».

Todavía estaba bastante resentido por el engaño que me había hecho pero la calidez de los elogios de Holmes alejó la ira de mi mente. Sentí también en mi corazón que tenía razón en lo que decía y que lo mejor para nuestro propósito era que yo no hubiera sabido que él estaba en el páramo.

«Eso está mejor», dijo él, al ver que la sombra se levantaba de mi rostro. «Y ahora cuénteme el resultado de su visita a la señora Laura Lyons... no me fue difícil adivinar que era para verla a ella que había ido, pues ya soy consciente de que ella es la única persona en Coombe Tracey que podría sernos útil en el asunto. De hecho, si usted no hubiera ido hoy es muy probable que yo hubiera ido mañana».

El sol se había puesto y el crepúsculo se asentaba sobre el páramo. El aire se había vuelto gélido y nos retiramos a la cabaña en busca de calor. Allí, sentados juntos en la penumbra, le conté a Holmes mi conversación con la dama. Tan interesado estaba que tuve que repetirle parte de ella dos veces antes de que quedara satisfecho.

«Esto es muy importante», dijo cuando hube concluido. «Llena un vacío que no había podido salvar en este asunto tan complejo. ¿Es usted consciente, tal vez, de que existe una estrecha intimidad entre esta dama y el tal Stapleton?».

«No sabía que existiera una estrecha intimidad».

«No puede haber ninguna duda al respecto. Se conocen, se escriben, hay un entendimiento total entre ellos. Esto pone en nuestras manos un arma muy poderosa. Si tan sólo pudiera utilizarla para separar a su esposa...».

«¿Su esposa?».

«Le estoy dando alguna información ahora, a cambio de todo lo que me ha dado. La dama que ha pasado por aquí como la señorita Stapleton es en realidad su esposa».

«¡Santo cielo, Holmes! ¿Está seguro de lo que dice? ¿Cómo podría haber permitido que Sir Henry se enamorara de ella?».

«Que Sir Henry se enamorara no podía hacer daño a nadie excepto a Sir Henry. Él tuvo especial cuidado de que Sir Henry no hiciera el amor con ella, como usted mismo ha observado. Repito que la dama es su esposa y no su hermana».

«¿Pero por qué este engaño tan elaborado?».

«Porque previó que ella le sería mucho más útil en el carácter de una mujer libre».

Todos mis instintos tácitos, mis vagas sospechas, tomaron forma de repente y se centraron en el naturalista. En aquel hombre impasible e incoloro, con su sombrero de paja y su red de mariposas, me pareció ver algo terrible... una criatura de paciencia y astucia infinitas, de rostro sonriente y corazón asesino.

«¿Es él, entonces, nuestro enemigo... es él quien nos persiguió en Londres?».

«Así leí el acertijo».

«Y la advertencia... ¡debió venir de ella!».

«Exactamente».

La forma de alguna monstruosa villanía, medio vista, medio adivinada, asomó a través de la oscuridad que me había ceñido durante tanto tiempo.

«¿Pero está seguro de esto, Holmes? ¿Cómo sabe que esa mujer es su esposa?».

«Porque él se olvidó tanto de sí mismo como para contarle un auténtico trozo de autobiografía en la ocasión en que le conoció, y me atrevería a decir que muchas veces se ha arrepentido desde entonces. Él fue una vez maestro de escuela en el norte de Inglaterra. Ahora bien, no hay nadie más fácil de rastrear que un maestro de escuela. Existen organismos escolares mediante los cuales se puede identificar a cualquier hombre que haya ejercido la profesión. Una pequeña investigación me mostró que una escuela había caído en desgracia en circunstancias atroces, y que el hombre que había sido su propietario —el nombre era diferente— había desaparecido con su esposa. Las descripciones coincidían. Cuando supe que el desaparecido se dedicaba a la entomología la identificación fue completa».

La oscuridad se estaba levantando, pero aún quedaban muchas cosas ocultas por las sombras.

«Si esta mujer es en verdad su esposa, ¿qué lugar ocupa la señora Laura Lyons?», pregunté.

«Ese es uno de los puntos sobre los que sus propias investigaciones han arrojado luz. Su entrevista con la señora ha aclarado mucho la situación. No sabía nada de un divorcio proyectado entre ella y su marido. En ese caso, considerando a Stapleton como un hombre soltero, ella contaba sin duda con convertirse en su esposa».

«¿Y cuando se desengañe?».

«Entonces puede que encontremos a la dama que nos hará un servicio. Debe ser nuestro primer deber verla, ambos, mañana. ¿No cree, Watson, que está lejos de su cargo bastante tiempo? Su lugar debería estar en Baskerville Hall».

Las últimas vetas rojas se habían desvanecido en el oeste y la noche se había instalado en el páramo. Unas pocas estrellas débiles brillaban en un cielo violeta.

«Una última pregunta, Holmes», dije al levantarme. «Seguramente no hay necesidad de guardar secretos entre usted y yo. ¿Cuál es el significado de todo esto? ¿Qué persigue él?».

La voz de Holmes se hundió al responder:

«Es un asesinato, Watson: un asesinato refinado, a sangre fría y deliberado. No me pida detalles. Mis redes se ciernen sobre él, igual que las suyas sobre Sir Henry, y con su ayuda ya está casi a mi merced. Sólo hay un peligro que pueda amenazarnos. Es que él ataque antes de que nosotros estemos preparados para hacerlo. Otro día —dos a lo sumo— y tendré mi caso completo, pero hasta entonces vigile a la persona a su cargo tan estrechamente como nunca una madre cariñosa vigiló a su hijo enfermo. Su misión de hoy se ha justificado, y sin embargo casi podría desear que no se hubiera ido de su lado. ¡Escuche!».

Un grito terrible —un prolongado alarido de horror y angustia— irrumpió en el silencio del páramo. Aquel grito espantoso heló la sangre en mis venas.

«¡Oh, Dios mío!», jadeé. «¿Qué es? ¿Qué significa?».

Holmes se había puesto en pie de un salto y vi su silueta oscura y atlética en la puerta de la cabaña, los hombros encorvados, la cabeza echada hacia delante, el rostro escudriñando la oscuridad.

«¡Silencio!», susurró. «¡Silencio!».

El grito había sido fuerte por su vehemencia, pero había surgido de algún lugar lejano de la sombría llanura. Ahora irrumpió en nuestros oídos, más cerca, más fuerte, más urgente que antes.

«¿Dónde está?», susurró Holmes; y supe por el estremecimiento de su voz que a él, el hombre de hierro, le temblaba hasta el alma. «¿Dónde está, Watson?».

«Ahí, creo». Señalé hacia la oscuridad.

«¡No, allí!».

De nuevo el grito agónico recorrió la noche silenciosa, más fuerte y mucho más cerca que nunca. Y un nuevo sonido se mezcló con él, un rumor profundo, susurrado, musical y sin embargo amenazador, que subía y bajaba como el murmullo bajo y constante del mar.

«¡El sabueso!», gritó Holmes. «¡Venga, Watson, venga! ¡Cielo santo, si llegamos demasiado tarde!».

Había echado a correr velozmente por el páramo y yo le había seguido los talones. Pero ahora, de algún lugar entre el terreno quebrado, inmediatamente delante de nosotros, llegó un último grito desesperado, y luego un golpe sordo y pesado. Nos detuvimos y escuchamos. Ningún otro sonido rompía el pesado silencio de la noche sin viento.

Vi que Holmes se llevaba la mano a la frente como un hombre distraído. Dio un pisotón en el suelo.

«Se nos ha adelantado, Watson. Llegamos demasiado tarde».

«¡No, no, seguro que no!».

«Tonto que fui por sostener mi mano. Y usted, Watson, ¡vea lo que pasa por abandonar su cargo! Pero, por Dios, si ha ocurrido lo peor, ¡nos vengaremos!».

Corrimos a ciegas a través de la penumbra, tropezando con peñascos, abriéndonos paso a través de arbustos de tojo, jadeando colinas arriba y descendiendo a toda prisa laderas abajo, dirigiéndonos siempre en la dirección desde la cual habían procedido aquellos espantosos sonidos. En cada elevación Holmes miraba ansiosamente a su alrededor, pero las sombras eran densas sobre el páramo y nada se movía en su lúgubre faz.

«¿Puede ver algo?».

«Nada».

«Pero, oiga, ¿qué es eso?».

Un gemido grave había llegado a nuestros oídos. ¡Allí estaba de nuevo a nuestra izquierda! En ese lado una cresta de rocas terminaba en un escarpado acantilado que dominaba una ladera sembrada de piedras. En su cara recortada se extendía un objeto oscuro e irregular. A medida que corríamos hacia él, la vaga silueta se consolidó en una forma definida. Era un hombre postrado boca abajo en el suelo, la cabeza doblada bajo él en un ángulo horrible, los hombros redondeados y el cuerpo encorvado como si estuviera dando una voltereta. Tan grotesca era la actitud que por un instante no pude darme cuenta de que aquel gemido había sido el tránsito de su alma. Ni un susurro, ni un crujido, surgía ahora de la oscura figura sobre la que nos inclinábamos. Holmes le puso la mano encima y volvió a levantarla con una exclamación de horror. El resplandor de la cerilla que encendió brilló sobre sus dedos coagulados y sobre el charco espantoso que se ensanchaba lentamente desde el cráneo aplastado de la víctima. Y brilló sobre algo más que nos puso el corazón enfermo y desfallecido... ¡el cuerpo de Sir Henry Baskerville!

No había posibilidad de que ninguno de los dos olvidara aquel peculiar traje de tweed rojizo... el mismo que había llevado la primera mañana que le habíamos visto en Baker Street. Alcanzamos a verlo con claridad, y entonces la cerilla parpadeó y se apagó, igual que la esperanza había desaparecido de nuestras almas. Holmes gimió, y su rostro resplandeció blanco a través de la oscuridad.

«¡Qué bruto! ¡Qué bruto!», grité con las manos apretadas. «Oh Holmes, nunca me perdonaré haberle abandonado a su suerte».

«Yo tengo más culpa que usted, Watson. Para tener mi caso bien redondeado y completo, he tirado por la borda la vida de mi cliente. Es el mayor golpe que me ha ocurrido en mi carrera. Pero ¿cómo podía saber... cómo podía saber... que arriesgaría su vida solo en el páramo ante todas mis advertencias?».

«¡Que hayamos oído sus gritos... Dios mío, esos gritos!... ¡y sin embargo hayamos sido incapaces de salvarlo! ¿Dónde está esa bestia de sabueso que le llevó a la muerte? Puede estar acechando entre estas rocas en este instante. Y Stapleton, ¿dónde está? Él responderá por esta hazaña».

«Lo hará. Me ocuparé de ello. Tío y sobrino han sido asesinados... el uno asustado de muerte por la sola visión de una bestia que creía sobrenatural, el otro llevado a su fin en su salvaje huida para escapar de ella. Pero ahora tenemos que probar la conexión entre el hombre y la bestia. Salvo por lo que hemos oído, ni siquiera podemos jurar la existencia de esta última, ya que Sir Henry ha muerto evidentemente a causa de la caída. Pero, por todos los cielos, por muy astuto que sea, el hombre estará en mi poder antes de que pase otro día».

Permanecimos con el corazón amargado a ambos lados del cuerpo destrozado, abrumados por este repentino e irrevocable desastre que había llevado todos nuestros largos y fatigosos trabajos a un final tan lastimoso. Luego, al salir la luna, subimos a lo alto de las rocas sobre las que había caído nuestro pobre amigo, y desde la cima contemplamos el sombrío páramo, mitad plata y mitad penumbra. A lo lejos, a kilómetros de distancia, en dirección a Grimpen, brillaba una única luz amarilla y constante. Sólo podía proceder de la solitaria morada de los Stapleton. Con una amarga maldición agité el puño mientras la contemplaba.

«¿No deberíamos apresarlo de inmediato?».

«Nuestro caso no está completo. El tipo es cauteloso y astuto hasta el último grado. No se trata de lo que sabemos, sino de lo que podemos probar. Si damos un paso en falso el villano puede escapársenos todavía».

«¿Qué podemos hacer?».

«Mañana tendremos mucho que hacer. Esta noche sólo podemos cumplir con los últimos oficios para nuestro pobre amigo».

Juntos nos abrimos paso por la escarpada ladera y nos acercamos al cuerpo, negro y claro contra las piedras plateadas. La agonía de aquellos miembros contorsionados me golpeó con un espasmo de dolor y me empañó los ojos de lágrimas.

«¡Debemos pedir ayuda, Holmes! No podemos llevarlo hasta el Hall. Santo cielo, ¿está usted loco?».

Él había lanzado un grito y se había inclinado sobre el cuerpo. Ahora bailaba, reía y me retorcía la mano. ¿Podría ser éste mi severo y autosuficiente amigo? Verdaderamente, ¡eran fuegos ocultos!

«¡Una barba! ¡Una barba! El hombre tiene barba!».

«¿Una barba?».

«No es el baronet... es... ¡vaya, es mi vecino, el convicto!».

Con prisa febril habíamos dado la vuelta al cuerpo, y aquella barba chorreante apuntaba hacia la luna fría y clara. No cabía duda al juzgar sobre la frente carcomida, los ojos hundidos de animal. Era, en efecto, el mismo rostro que me había fulminado a la luz de la vela desde encima de la roca... el rostro de Selden, el criminal.

Entonces, en un instante, todo me quedó claro. Recordé cómo el baronet me había contado que había entregado su vieja vestimenta a Barrymore. Barrymore se lo había pasado a Selden para ayudarle en su huida. Botas, camisa, gorra... todo era de Sir Henry. La tragedia seguía siendo bastante oscura, pero este hombre al menos había merecido la muerte según las leyes de su país. Le conté a Holmes cómo estaba el asunto, con el corazón rebosante de agradecimiento y alegría.

«Entonces la ropa ha sido la causa de la muerte del pobre diablo», dijo. «Está bastante claro que el sabueso se ha echado sobre alguna prenda de Sir Henry... la bota que fue sustraída en el hotel, con toda probabilidad... y así acabó con este hombre. Hay una cosa muy singular, sin embargo: ¿Cómo pudo Selden, en la oscuridad, saber que el sabueso le seguía el rastro?».

«Le oyó».

«Oír a un sabueso en el páramo no haría entrar a un hombre duro como este convicto en tal paroxismo de terror como para arriesgarse a ser recapturado gritando salvajemente pidiendo ayuda. Por sus gritos debió de correr un largo trecho después de saber que el animal le seguía la pista. ¿Cómo lo supo?».

«Un misterio mayor para mí es por qué este sabueso, suponiendo que todas nuestras conjeturas sean correctas...».

«Yo no presumo nada».

«Bien, entonces, por qué este sabueso anda suelto esta noche. Supongo que no siempre anda suelto por el páramo. Stapleton no lo soltaría a menos que tuviera razones para pensar que Sir Henry estaría allí».

«Mi dificultad es la más formidable de las dos, pues creo que muy pronto obtendremos una explicación de la suya, mientras que la mía puede permanecer para siempre en el misterio. La cuestión ahora es, ¿qué haremos con el cuerpo de este pobre desgraciado? No podemos dejarlo aquí a los zorros y a los cuervos».

«Sugiero que lo pongamos en una de las cabañas hasta que podamos comunicarnos con la policía».

«Exactamente. No tengo ninguna duda de que usted y yo podríamos llevarlo hasta allí. Vaya, Watson, ¿qué es esto? ¡Es el hombre mismo, con lo maravilloso y audaz que es! Ni una palabra que demuestre sus sospechas... ni una palabra, o mis planes se desmoronarán».

Una figura se acercaba a nosotros por el páramo, y vi el apagado resplandor rojo de un puro. La luna brillaba sobre él, y pude distinguir la elegante figura y los andares desenvueltos del naturalista. Se detuvo al vernos y volvió a ponerse en marcha.

«Vaya, Doctor Watson, no es usted, ¿verdad? Es usted el último hombre que habría esperado ver en el páramo a estas horas de la noche. Pero, querido, ¿qué es esto? ¿Alguien herido? No... ¡no me diga que es nuestro amigo Sir Henry!». Se apresuró a pasar junto a mí y se inclinó sobre el muerto. Oí una aguda inspiración suya y el cigarro se le cayó de los dedos.

«¿Quién... quién es éste?», balbuceó.

«Es Selden, el hombre que escapó de Princetown».

Stapleton volvió hacia nosotros un rostro espantoso, pero mediante un esfuerzo supremo había superado su asombro y su decepción. Miró bruscamente a Holmes y luego hacia mí. «¡Caramba! ¡Qué asunto tan espantoso! ¿Cómo murió?».

«Parece que se rompió el cuello al caer sobre estas rocas. Mi amigo y yo paseábamos por el páramo cuando oímos un grito».

«Yo también oí un grito. Eso fue lo que me hizo salir. Estaba inquieto por Sir Henry».

«¿Por qué por Sir Henry en particular?», no pude evitar preguntar.

«Porque yo había sugerido que viniera. Cuando no vino me sorprendí, y naturalmente me alarmé por su seguridad cuando oí gritos en el páramo. Por cierto»... sus ojos se desviaron de nuevo de mi cara a la de Holmes... «¿oyó algo más aparte de un grito?».

«No», dijo Holmes; «¿y usted?».

«No».

«¿A qué se refiere entonces?».

«Oh, ya conoce las historias que cuentan los campesinos sobre un sabueso fantasma, etcétera. Se dice que se le oye por las noches en el páramo. Me preguntaba si había alguna evidencia de tal sonido esta noche».

«No hemos oído nada parecido», dije yo.

«¿Y cuál es su teoría sobre la muerte de este pobre hombre?».

«No me cabe duda de que la ansiedad y la vida al descubierto le han hecho perder la cabeza. Ha corrido por el páramo enloquecido y al final se ha caído aquí y se ha roto el cuello».

«Esa parece la teoría más razonable», dijo Stapleton, y dio un suspiro que tomé como indicio de alivio. «¿Qué opina al respecto, señor Sherlock Holmes?».

Mi amigo hizo una reverencia de felicitación. «Es usted rápido en la identificación», dijo.

«Le esperábamos por estos lares desde que vino el Doctor Watson. Llega a tiempo para ver una tragedia».

«Sí, en efecto. No dudo de que la explicación de mi amigo cubrirá los hechos. Mañana me llevaré un desagradable recuerdo de vuelta a Londres».

«Oh, ¿volverá mañana?».

«Esa es mi intención».

«Espero que su visita haya arrojado algo de luz sobre los sucesos que nos han desconcertado».

Holmes se encogió de hombros.

«Uno no siempre puede tener el éxito que espera. Un investigador necesita hechos y no leyendas o rumores. No ha sido un caso satisfactorio».

Mi amigo hablaba de su manera más franca y despreocupada. Stapleton seguía mirándole con dureza. Luego se volvió hacia mí.

«Sugeriría llevar a este pobre hombre a mi casa, pero le daría tal susto a mi hermana que no me siento justificado a hacerlo. Creo que si le ponemos algo sobre el rostro estará a salvo hasta mañana».

Y así quedó acordado. Resistiendo el ofrecimiento de hospitalidad de Stapleton, Holmes y yo partimos hacia el Hall de Baskerville, dejando que el naturalista regresara solo. Mirando hacia atrás vimos la figura que se alejaba lentamente por el ancho páramo, y detrás de él aquella mancha negra en la ladera plateada que mostraba dónde yacía el hombre que había llegado tan horriblemente a su fin.

«Por fin estamos cerca», dijo Holmes mientras caminábamos juntos por el páramo. «¡Qué valor tiene el tipo! Cómo se recompuso ante lo que debió de ser una conmoción paralizante cuando descubrió que el hombre equivocado había sido víctima de su complot. Le dije en Londres, Watson, y se lo repito ahora, que nunca hemos tenido un enemigo más digno de nuestro acero».

«Siento que le haya visto».

«Al principio yo también lo sentía. Pero no había escapatoria».

«¿Qué efecto cree que tendrá en sus planes ahora que sabe que está aquí?».

«Puede que le haga ser más cauteloso, o puede que le lleve a tomar medidas desesperadas de inmediato. Como la mayoría de los criminales astutos, puede que confíe demasiado en su propia astucia y se imagine que nos ha engañado por completo».

«¿Por qué no deberíamos arrestarlo de inmediato?».

«Mi querido Watson, usted nació para ser un hombre de acción. Su instinto es siempre hacer algo enérgico. Pero suponiendo, por el bien del argumento, que le arrestáramos esta noche, ¿en qué nos beneficiaría eso? No podríamos probar nada contra él. ¡Ahí está su diabólica astucia! Si actuara a través de un agente humano podríamos obtener alguna prueba, pero si arrastráramos a este gran perro a la luz del día no nos ayudaría a ponerle la soga al cuello a su amo».

«Seguro que tenemos un caso».

«Ni la sombra de uno... sólo conjeturas y suposiciones. Se reirían de nosotros si viniéramos con semejante historia y semejantes pruebas».

«Está la muerte de Sir Charles».

«Encontrado muerto sin una marca sobre él. Usted y yo sabemos que murió de puro susto, y sabemos también lo que le asustó, pero ¿cómo vamos a conseguir que lo sepan doce miembros del jurado? ¿Qué señales hay de un sabueso? ¿Dónde están las marcas de sus colmillos?

Por supuesto, sabemos que un sabueso no muerde un cadáver y que Sir Charles estaba muerto antes de que la bestia lo alcanzara. Pero tenemos que probar todo esto y no estamos en condiciones de hacerlo».

«Bueno, entonces, ¿esta noche?».

«No estamos mucho mejor esta noche. De nuevo, no hubo conexión directa entre el sabueso y la muerte del hombre. Nunca vimos al sabueso. Lo oímos, pero no pudimos probar que siguiera el rastro de este hombre. Hay una ausencia total de motivo. No, mi querido amigo; debemos reconciliarnos con el hecho de que no tenemos ningún caso por el momento, y que vale la pena correr cualquier riesgo para establecer uno».

«¿Y cómo se propone hacerlo?».

«Tengo grandes esperanzas en lo que la señora Lyons pueda hacer por nosotros cuando se le aclare la situación de sus asuntos. Y yo también tengo mi propio plan. Basta con el mal de mañana; pero espero antes de que pase el día tener por fin las de ganar».

No pude extraer nada más de él, él caminó, perdido en sus pensamientos, hasta las puertas de los Baskerville.

«¿Va a subir?».

«Sí; no veo ninguna razón para seguir ocultándome. Pero, una última palabra, Watson. No le diga nada del sabueso a Sir Henry. Que piense que la muerte de Selden fue como Stapleton quiere hacernos creer. Tendrá mejores nervios para la prueba a la que tendrá que someterse mañana, ya que está comprometido, si recuerdo bien su informe, a cenar con esta gente».

«Sí, yo también».

«Entonces debe excusarse y él debe ir solo. Eso se arreglará fácilmente. Y ahora, si bien es demasiado tarde para cenar, creo que ambos estamos listos para que nos den algo de comer».

CAPÍTULO 13 – FIJANDO LAS REDES

Sir Henry se sintió más complacido que sorprendido al ver a Sherlock Holmes, pues hacía ya algunos días que esperaba que los recientes acontecimientos lo trajeran de Londres. Sin embargo, enarcó las cejas cuando comprobó que mi amigo no llevaba equipaje ni daba explicaciones de su ausencia. Entre los dos suplimos pronto sus necesidades y luego, durante una cena tardía, explicamos al baronet todo lo que parecía deseable que supiera de nuestra experiencia. Pero antes yo tuve el desagradable deber de dar la noticia a Barrymore y a su esposa. Para él pudo haber sido un alivio sin paliativos, pero ella lloró amargamente, vestida con su delantal. Para todo el mundo él era el hombre de la violencia, mitad animal y mitad demonio; pero para ella siempre siguió siendo el pequeño muchacho voluntarioso de su propia niñez, el niño que se había aferrado a su mano. Malvado es en verdad el hombre que no tiene una sola mujer que lo llore.

«He estado desanimado en casa todo el día desde que Watson se fue por la mañana», dijo el baronet. «Supongo que debería tener algo de mérito, pues he cumplido mi promesa. Si no hubiera jurado no ir por ahí solo podría haber tenido una velada más animada, pues recibí un mensaje de Stapleton pidiéndome que fuera».

«No me cabe duda de que habría tenido una velada más animada», dijo Holmes con sorna. «Por cierto, ¿supongo que no se da cuenta de que hemos estado de luto por usted como si se hubiera roto el cuello?».

Sir Henry abrió los ojos. «¿Cómo es eso?».

«Este pobre desgraciado estaba vestido con sus ropas. Temo que el criado que se las dio pueda tener problemas con la policía».

«Eso es poco probable. No había ninguna marca en ninguna de ellas, que yo sepa».

«Eso es una suerte para él... de hecho, es una suerte para todos ustedes, ya que todos están en el lado equivocado de la ley en este asunto. No estoy seguro de que como detective concienzudo mi primer deber no sea arrestar a toda la casa. Los informes de Watson son documentos muy incriminatorios».

«¿Pero qué hay del caso?», preguntó el baronet. «¿Ha sacado algo en claro del enredo? No sé si Watson y yo somos mucho más sabios desde que vinimos».

«Creo que dentro de poco estaré en condiciones de aclararles bastante más la situación. Ha sido un asunto extremadamente difícil y de lo más complicado. Hay varios puntos sobre los que aún nos falta luz... pero de todos modos se acerca».

«Hemos tenido una experiencia, como sin duda le habrá contado Watson. Oímos al sabueso en el páramo, así que puedo jurar que no todo es superstición vacía. Tuve algo que ver con perros cuando estuve en el Oeste, y reconozco uno cuando lo oigo. Si puede ponerle un bozal a ese y ponerle una cadena estaré dispuesto a jurar que es usted el mejor detective de todos los tiempos».

«Creo que le pondré un bozal y le encadenaré si me presta su ayuda».

«Haré todo lo que me diga».

«Muy bien; y le pediré también que lo haga a ciegas, sin preguntar siempre el motivo».

«Como usted quiera».

«Si hace esto, creo que lo más probable es que nuestro pequeño problema se resuelva pronto. No tengo ninguna duda...».

Se detuvo de repente y miró fijamente al aire por encima de mi cabeza. La lámpara golpeaba su rostro, y estaba tan concentrado y tan quieto que podría haber sido el rostro de una límpida estatua clásica, una personificación de la alerta y la expectación.

«¿Qué ocurre?», exclamamos los dos.

Al bajar la mirada pude ver que estaba reprimiendo alguna emoción interna. Sus rasgos seguían compuestos, pero sus ojos brillaban con divertida exultación.

«Disculpe la admiración de un entendido», dijo mientras agitaba la mano hacia la línea de retratos que cubría la pared opuesta. «Watson no permitirá que yo sepa nada de arte, pero eso son meros celos porque nuestros puntos de vista sobre el tema difieren. Ahora, estos son realmente una serie muy fina de retratos».

«Me alegra oírle decir eso», dijo Sir Henry, mirando con cierta sorpresa a mi amigo. «No pretendo saber mucho de estas cosas, y sería mejor juez de un caballo o un buey que de un cuadro. No sabía que usted encontrara tiempo para esas cosas».

«Sé lo que es bueno cuando lo veo, y lo veo ahora. Ese es un Kneller, lo juraría, esa dama de seda azul de allí y el caballero corpulento con peluca debería ser un Reynolds. Son todos retratos de familia, supongo».

«Todos».

«¿Conoce los nombres?».

«Barrymore me ha estado entrenando en ellos, y creo que puedo decir mis lecciones bastante bien».

«¿Quién es el caballero del telescopio?».

«Es el Contralmirante Baskerville, que sirvió a las órdenes de Rodney en las Indias Occidentales. El hombre del abrigo azul y el rollo de papel es Sir William Baskerville, que fue Presidente de Comisiones de la Cámara de los Comunes bajo Pitt».

«¿Y este caballero que tengo enfrente... el de terciopelo negro y encaje?».

«Ah, tiene derecho a saber de él. Es el causante de todas las desgracias, el malvado Hugo, que inició la historia del Sabueso de los Baskerville. No es probable que le olvidemos».

Contemplé el retrato con interés y cierta sorpresa.

«¡Caramba!», dijo Holmes, «parece un hombre bastante tranquilo y de modales mansos, pero me atrevería a decir que había un diablo al acecho en sus ojos. Me lo había imaginado como una persona más robusta y rufianesca».

«No hay duda de su autenticidad, pues el nombre y la fecha, 1647, figuran en el reverso del lienzo».

Holmes no dijo mucho más, pero el cuadro del viejo parrandero parecía ejercer una fascinación sobre él, y sus ojos estuvieron continuamente fijos en él durante la cena. No fue hasta más tarde, cuando Sir Henry se había ido a su habitación, que pude seguir la tendencia de sus pensamientos. Me condujo de nuevo al salón de banquetes, con la vela de su dormitorio en la mano, y la sostuvo contra el retrato manchado por el tiempo que había en la pared.

«¿Ve algo ahí?».

Miré el amplio sombrero con penacho, los rizados mechones, el cuello de encaje blanco y el rostro recto y severo que se enmarcaba entre ellos. No era un semblante brutal, pero sí primoroso, duro y severo, con una boca de labios finos y firmes y una mirada fríamente intolerante.

«¿Se parece a alguien que usted conozca?».

«Hay algo de Sir Henry en la mandíbula».

«Sólo una sugerencia, tal vez. Pero espere un instante». Se puso de pie sobre una silla y, levantando la luz con la mano izquierda, curvó el brazo derecho sobre el amplio sombrero y alrededor de los largos cabellos en tirabuzón.

«¡Santo cielo!», exclamé asombrado.

El rostro de Stapleton había surgido del lienzo.

«Ah, ahora lo ve. Mis ojos han sido entrenados para examinar rostros y no sus adornos. Es la primera cualidad de un investigador criminal que pueda ver a través de un disfraz».

«Pero esto es maravilloso. Podría ser su retrato».

«Sí, es un caso interesante de un retroceso, que parece ser tanto físico como espiritual. Un estudio de los retratos familiares basta para convertir a un hombre a la doctrina de la reencarnación. El tipo es un Baskerville... eso es evidente».

«Con designios sobre la sucesión».

«Exactamente. Esta casualidad del cuadro nos ha proporcionado uno de nuestros eslabones perdidos más evidentes. Lo tenemos, Watson, lo tenemos, y me atrevo a jurar que antes de mañana por la noche estará revoloteando en nuestra red tan indefenso como una de sus propias mariposas. Un alfiler, un corcho y una tarjeta, ¡y lo añadimos a la colección de Baker Street!». Estalló en uno de sus raros ataques de risa mientras se apartaba del cuadro. No le he oído reír a menudo, y siempre ha sido un mal presagio para alguien.

Me levanté a primera hora de la mañana, pero Holmes estaba en marcha aún más temprano, pues lo vi mientras me vestía, subiendo por el camino de entrada.

«Sí, hoy tendremos un día completo», comentó, y se frotó las manos con la alegría de la acción. «Las redes están todas colocadas y el rastreo está a punto de comenzar. Sabremos antes de que acabe el día si hemos capturado nuestro gran lucio de mandíbula delgada o si ha atravesado las mallas».

«¿Ha estado ya en el páramo?».

«He enviado un informe de Grimpen a Princetown sobre la muerte de Selden. Creo que puedo prometer que ninguno de ustedes tendrá problemas en el asunto. Y también me he comunicado con mi fiel Cartwright, que sin duda se habría lamentado a la puerta de mi cabaña, como lo hace un perro ante la tumba de su amo, si yo no le hubiera tranquilizado sobre mi seguridad».

«¿Cuál es el siguiente paso?».

«Ver a Sir Henry. Ah, ¡aquí está!».

«Buenos días, Holmes», dijo el baronet. «Parece usted un general que planea una batalla con su jefe de estado mayor».

«Esa es exactamente la situación. Watson estaba pidiendo órdenes».

«Y yo también».

«Muy bien. Usted está comprometido, según tengo entendido, a cenar con nuestros amigos los Stapleton esta noche».

«Espero que usted también venga. Son gente muy hospitalaria, y estoy seguro de que se complacerían en verle».

«Me temo que Watson y yo debemos ir a Londres».

«¿A Londres?».

«Sí, creo que allí seríamos más útiles en la coyuntura actual».

El rostro del baronet se alargó perceptiblemente.

«Esperaba que usted me acompañara en este asunto. El Hall y el páramo no son lugares muy agradables cuando uno está solo».

«Mi querido amigo, debe confiar en mí tácitamente y hacer exactamente lo que le diga. Puede decir a sus amigos que nos habría encantado acompañarle, pero que un asunto urgente nos obligaba a estar en la ciudad. Esperamos regresar muy pronto a Devonshire. ¿Se acordará de darles ese mensaje?».

«Si insiste en ello».

«No hay alternativa, se lo aseguro».

Vi por el ceño nublado del baronet que estaba profundamente dolido por lo que consideraba nuestra deserción.

«¿Cuándo desean partir?», preguntó fríamente.

«Inmediatamente después del desayuno. Conduciremos hasta Coombe Tracey, pero Watson dejará sus cosas como prenda de que volverá a usted. Watson, usted enviará una nota a Stapleton para decirle que lamenta no poder acudir».

«Tengo la firme intención de ir a Londres con ustedes», dijo el baronet. «¿Por qué debería quedarme aquí solo?».

«Porque es su puesto de deber. Porque me dio su palabra de que haría lo que se le dijera, y yo le digo que se quede».

«De acuerdo, entonces, me quedaré».

«¡Una indicación más! Deseo que conduzca hasta Merripit House. Haga volver su carreta, sin embargo, y hágales saber que usted tiene la intención de caminar a casa».

«¿Caminar a través del páramo?».

«Sí».

«Pero eso es precisamente lo que tantas veces me ha advertido que no haga».

«Esta vez puede hacerlo con seguridad. Si no confiara plenamente en su valor y coraje no se lo sugeriría, pero es esencial que lo haga».

«Entonces lo haré».

«Y dado que valora su vida no atraviese el páramo en ninguna dirección salvo por el camino recto que lleva de Merripit House a la carretera de Grimpen, y que es su camino natural a casa».

«Haré exactamente lo que usted dice».

«Muy bien. Me alegraría salir lo antes posible después del desayuno, para llegar a Londres por la tarde».

Me asombró mucho este programa, aunque recordé que Holmes le había dicho a Stapleton la noche anterior que su visita terminaría al día siguiente. No se me había pasado por la cabeza, sin embargo, que deseara que fuera con él, ni podía entender cómo podíamos ausentarnos los dos en un momento que él mismo declaraba crítico. Sin embargo, no había más remedio que obedecerle tácitamente; así que nos despedimos de nuestro apesadumbrado amigo y un par de horas después estábamos en la estación de Coombe Tracey y habíamos despachado la carreta en su viaje de regreso. Un muchacho pequeño esperaba en el andén.

«¿Alguna orden, señor?».

«Tomará este tren hasta la ciudad, Cartwright. En cuanto llegue enviará un telegrama a Sir Henry Baskerville, en mi nombre, para decirle que si encuentra la cartera que se me ha caído la envíe por correo certificado a Baker Street».

«Sí, señor».

«Y pregunte en la oficina de la estación si hay algún mensaje para mí».

El muchacho regresó con un telegrama, que Holmes me entregó. Decía:

Telegrama recibido. Viniendo con orden sin firmar. Llegada a las cinco cuarenta. Lestrade.

«Esto es en respuesta al mío de esta mañana. Es el mejor de los profesionales, creo, y puede que necesitemos su ayuda. Ahora, Watson, creo que no podemos emplear mejor nuestro tiempo que acudiendo a su conocida, la señora Laura Lyons».

Su plan de campaña empezaba a ser evidente. Utilizaría al baronet para convencer a los Stapleton de que realmente nos habíamos ido, mientras que nosotros deberíamos regresar realmente en el instante en que fuera probable que nos necesitaran. Ese telegrama de Londres, si era mencionado por Sir Henry a los Stapleton, debía eliminar las últimas sospechas de sus mentes. Ya me parecía ver nuestras redes acercándose alrededor de aquel lucio de mandíbula delgada.

La señora Laura Lyons estaba en su despacho, y Sherlock Holmes abrió su entrevista con una franqueza y franqueza que la asombraron considerablemente.

«Estoy investigando las circunstancias que rodearon la muerte del difunto Sir Charles Baskerville», dijo él. «Mi amigo aquí presente, el Doctor Watson, me ha informado de lo que usted ha comunicado y también de lo que ha ocultado en relación con ese asunto».

«¿Qué he ocultado?», preguntó ella desafiante.

«Ha confesado que le pidió a Sir Charles que estuviera en la puerta a las diez en punto. Sabemos que ése fue el lugar y la hora de su muerte. Usted ha ocultado cuál es la conexión entre estos hechos».

«No hay ninguna conexión».

«En ese caso, la coincidencia debe ser realmente extraordinaria. Pero creo que, después de todo, lograremos establecer una conexión. Deseo ser perfectamente franco con usted, señora Lyons. Consideramos que este es un caso de asesinato, y las pruebas pueden implicar no sólo a su amigo el señor Stapleton sino también a su esposa».

La dama saltó de su silla.

«¡Su esposa!», gritó.

«El hecho ya no es un secreto. La persona que se ha hecho pasar por su hermana es realmente su esposa».

La señora Lyons había retomado su asiento. Sus manos se agarraban a los brazos de su silla y vi que las uñas rosadas se habían vuelto blancas con la presión de su agarre.

«¡Su esposa!», volvió a decir. «¡Su esposa! No es un hombre casado».

Sherlock Holmes se encogió de hombros.

«¡Pruébemelo! ¡Demuéstremelo! ¡Y si puede hacerlo...!».

El feroz destello de los ojos de ella dijo más que cualquier palabra.

«He venido dispuesto a ello», dijo Holmes, sacando varios papeles de su bolsillo. «Aquí tiene una fotografía de la pareja tomada en York hace cuatro años. Está firmada por "el señor y la señora Vandeleur", pero no tendrá dificultad en reconocerlo a él, y a ella también, si la conoce de vista. He aquí tres descripciones escritas por testigos fidedignos del señor y la señora Vandeleur, que en aquella época regentaban la escuela privada de San Oliver. Léalas y vea si puede dudar de la identidad de estas personas».

Les echó un vistazo y luego nos miró con el rostro fijo y rígido de una mujer desesperada.

«Señor Holmes», dijo ella, «este hombre me había ofrecido matrimonio con la condición de que consiguiera el divorcio de mi marido. Me ha mentido, el muy villano, de todas las formas imaginables. Ni una sola palabra de verdad me ha dicho jamás. ¿Y por qué... por qué? Imaginaba que todo era por mi propio bien. Pero ahora veo que nunca fui más que una herramienta en sus manos. ¿Por qué debería conservar la fe en quien nunca la conservó conmigo? ¿Por qué debería intentar protegerle de las consecuencias de sus propios actos perversos? Pregúnteme lo que quiera, y no habrá nada que yo le oculte. Una cosa le juro, y es que cuando escribí la carta nunca soñé con hacerle ningún daño al viejo caballero, que fue mi más amable amigo».

«Le creo totalmente, señora», dijo Sherlock Holmes. «El relato de estos sucesos debe de ser muy doloroso para usted, y tal vez le resulte más fácil si le cuento lo que ocurrió, y usted podrá corregirme si cometo algún error material. ¿El envío de esta carta le fue sugerido por Stapleton?».

«Él me la dictó».

«¿Supongo que la razón que dio fue que usted recibiría ayuda de Sir Charles para los gastos legales relacionados con su divorcio?».

«Exactamente».

«¿Y después de enviar la carta él la disuadió de acudir a la cita?».

«Me dijo que heriría su amor propio que cualquier otro hombre encontrara el dinero para semejante objeto, y que aunque él mismo era un hombre pobre dedicaría su último penique a eliminar los obstáculos que nos dividían».

«Parece ser un personaje muy coherente. ¿Y usted no oyó nada hasta que leyó los informes de la muerte en el periódico?».

«No».

«¿Y le hizo jurar que no diría nada sobre su cita con Sir Charles?».

«Lo hizo. Dijo que se trataba de una muerte muy misteriosa y que sin duda sospecharían de mí si los hechos salían a la luz. Me asustó para que guardara silencio».

«Así es. ¿Pero usted tenía sus sospechas?».

Ella vaciló y bajó la mirada.

«Le conocía», dijo. «Pero si hubiera mantenido la fe en mí, yo siempre lo habría hecho con él».

«Creo que en conjunto ha tenido usted una escapada afortunada», dijo Sherlock Holmes. «Le ha tenido usted en su poder y él lo sabía, y sin embargo está usted viva. Usted ha estado caminando durante algunos meses muy cerca del borde de un precipicio. Ahora debemos desearle buenos días, señora Lyons, y es probable que muy pronto vuelva a saber de nosotros».

«Nuestro caso se va redondeando, y dificultad tras dificultad se adelgaza ante nosotros», dijo Holmes mientras esperábamos la llegada del tren expreso de la ciudad. «Pronto estaré en situación de poder poner en una sola narración conectada uno de los crímenes más singulares y sensacionales de los tiempos modernos. Los estudiantes de criminología recordarán los incidentes análogos de Godno, en la Pequeña Rusia, en el año 66, y por supuesto están los asesinatos de Anderson en Carolina del Norte, pero este caso posee algunas características que le son totalmente propias. Incluso ahora no tenemos ningún caso claro contra este hombre tan astuto. Pero me sorprendería mucho que no estuviera suficientemente claro antes de que nos vayamos a la cama esta noche».

El expreso de Londres llegó rugiendo a la estación, y un pequeño y enjuto bulldog de hombre había saltado de un vagón de primera clase. Los tres nos dimos la mano, y enseguida vi, por la forma reverencial en que Lestrade miraba a mi compañero, que había aprendido mucho desde los días en que habían trabajado juntos por primera vez. Recordaba bien el desprecio que las teorías del razonador solían despertar entonces en el hombre práctico.

«¿Algo interesante?», preguntó.

«Lo más grande desde hace años», dijo Holmes. «Tenemos dos horas antes de que tengamos que ocuparnos de partir. Creo que podríamos emplearlas en conseguir algo de cena y luego, Lestrade, le quitaremos la niebla londinense de la garganta dándole una bocanada del puro aire nocturno de Dartmoor. ¿Nunca ha estado allí? Ah, bueno, supongo que no olvidará su primera visita».

CAPÍTULO 14 – EL SABUESO DE LOS BASKERVILLE

Uno de los defectos de Sherlock Holmes —si, de hecho, se le puede llamar defecto— era que se mostraba sumamente reacio a comunicar la totalidad de sus planes a cualquier otra persona hasta el instante de su realización. En parte procedía, sin duda, de su propia naturaleza magistral, por la que le encantaba dominar y sorprender a quienes le rodeaban. En parte también de su cautela profesional, que le instaba a no arriesgarse nunca. El resultado, sin embargo, era muy duro para quienes actuaban como sus agentes y ayudantes. Yo lo había sufrido a menudo, pero nunca tanto como durante aquel largo viaje en la oscuridad. Teníamos ante nosotros la gran prueba; por fin estábamos a punto de realizar nuestro último esfuerzo, y sin embargo Holmes no había dicho nada, y yo sólo podía conjeturar cuál sería su curso de acción. Mis nervios se estremecieron de expectación cuando por fin el viento frío sobre nuestros rostros y los espacios oscuros y vacíos a ambos lados del estrecho camino me dijeron que estábamos de nuevo en el páramo. Cada zancada de los caballos y cada giro de las ruedas nos acercaba a nuestra aventura suprema.

Nuestra conversación se vio entorpecida por la presencia del conductor de la carreta alquilada, de modo que nos vimos obligados a hablar de asuntos triviales siendo que en realidad nuestros nervios estaban tensos por la emoción y la expectación. Fue un alivio para mí, después de aquella restricción antinatural, cuando por fin pasamos por delante de la casa de Frankland y supimos que nos acercábamos al Hall y al escenario de la acción. No llegamos hasta la puerta, sino que bajamos cerca de la verja de la avenida. La carreta fue pagada y se le ordenó regresar de inmediato a Coombe Tracey, mientras nosotros emprendíamos la marcha hacia Merripit House.

«¿Está armado, Lestrade?».

El pequeño detective sonrió. «Mientras tenga mis pantalones tengo un bolsillo en la cadera, y mientras tenga mi bolsillo en la cadera tengo algo en él».

«¡Bien! Mi amigo y yo también estamos preparados para las emergencias».

«Es usted muy reservado sobre este asunto, señor Holmes. ¿Cuál es el juego ahora?».

«Un juego de paciencia».

«Vaya, no parece un lugar muy alegre», dijo el detective con un escalofrío, mirando a su alrededor las sombrías laderas de la colina y el enorme lago de niebla que se extendía sobre la Ciénaga de Grimpen. «Veo las luces de una casa delante de nosotros».

«Esa es Merripit House y el final de nuestro viaje. Debo pedirles que caminen de puntillas y no hablen por encima de un susurro».

Avanzamos cautelosamente por la pista como si nos dirigiéramos a la casa, pero Holmes nos detuvo cuando estábamos a unas doscientas yardas de ella.

«Esto servirá», dijo. «Estas rocas de la derecha constituyen una pantalla admirable».

«¿Debemos esperar aquí?».

«Sí, haremos nuestra pequeña emboscada aquí. Entre en este hueco, Lestrade. Usted ha estado dentro de la casa, ¿verdad, Watson? ¿Puede decirnos la posición de las habitaciones? ¿Qué son esas ventanas enrejadas de este extremo?».

«Creo que son las ventanas de la cocina».

«¿Y la de más allá, que brilla tanto?».

«Esa es sin duda la del comedor».

«Las persianas están levantadas. Usted conoce mejor el terreno. Avance sigilosamente y vea lo que están haciendo... pero, por el amor de Dios, ¡no deje que sepan que están siendo vigilados!».

Bajé de puntillas por el sendero y me agaché detrás del muro bajo que rodeaba el huerto marchito. Arrastrándome bajo su sombra llegué a un punto desde el que podía mirar directamente a través de la ventana sin cortinas.

Sólo había dos hombres en la sala, Sir Henry y Stapleton. Estaban sentados de perfil hacia mí a ambos lados de la mesa redonda. Ambos fumaban puros, y delante de ellos había café y vino. Stapleton hablaba con animación, pero el baronet parecía pálido y distraído. Tal vez el pensamiento de aquel solitario paseo por el mal augurado páramo pesaba mucho en su mente.

Mientras los observaba, Stapleton se levantó y salió de la habitación, mientras Sir Henry llenaba de nuevo su vaso y se reclinaba en su silla, dando caladas a su puro. Oí el chirrido de una puerta y el crujido de unas botas sobre la grava. Los pasos pasaban por el sendero al otro lado del muro bajo el que me agazapé. Al mirar por encima, vi que el naturalista se detenía ante la puerta de un cobertizo en la esquina del huerto. Una llave giró en una cerradura, y cuando pasó dentro se oyó un curioso ruido de rozamiento procedente del interior. Sólo estuvo dentro un minuto más o menos, y entonces oí girar la llave una vez más y él pasó junto a mí y volvió a entrar en la casa. Le vi reunirse con su invitado y me arrastré sigilosamente hasta donde me esperaban mis compañeros para contarles lo que había visto.

«¿Dice usted, Watson, que la dama no está allí?», preguntó Holmes cuando hube terminado mi informe.

«Así es».

«¿Dónde puede estar, entonces, ya que no hay luz en ninguna otra habitación excepto en la cocina?».

«No se me ocurre dónde está».

He dicho que sobre la gran Ciénaga de Grimpen flotaba una niebla densa y blanca. Venía lentamente en nuestra dirección y se levantaba como un muro de nuestro lado, bajo pero espeso y bien definido. La luna brillaba sobre la neblina y parecía un gran campo de hielo reluciente, con las cabezas de los peñascos distantes como rocas soportadas sobre su superficie. Holmes tenía la cara vuelta hacia ella y murmuraba con impaciencia mientras observaba su lenta deriva.

«Se mueve hacia nosotros, Watson».

«¿Es grave?».

«Muy grave, de hecho... la única cosa sobre la tierra que podría haber desbaratado mis planes. No puede tardar mucho. Ya son las diez. Nuestro éxito e incluso su vida pueden depender de que salga antes de que la niebla cubra el camino».

La noche era clara y fina sobre nosotros. Las estrellas brillaban frías y luminosas, mientras que una media luna bañaba toda la escena con una luz suave e incierta. Ante nosotros se extendía la oscura mole de la casa, su tejado dentado y sus chimeneas erizadas se perfilaban duramente contra el cielo plateado. Amplias barras de luz dorada procedentes de las ventanas inferiores se extendían por el huerto y el páramo. Una de ellas se apagó de repente. Los criados habían abandonado la cocina. Sólo quedaba la lámpara del comedor, donde los dos hombres, el anfitrión asesino y el huésped inconsciente, seguían charlando entre puros.

Cada minuto que pasaba, aquella blanca llanura lanosa que cubría la mitad del páramo se acercaba más y más a la casa. Ya las primeras finas briznas se enroscaban en el cuadrado dorado de la ventana iluminada. El muro más lejano del huerto ya era invisible y los árboles se destacaban en un remolino de vapor blanco. Mientras lo observábamos, las coronas de niebla llegaron arrastrándose por las dos esquinas de la casa y rodaron lentamente hasta formar un denso banco sobre el que el piso superior y el tejado flotaban como un extraño barco sobre un mar sombrío. Holmes golpeó con la mano apasionadamente la roca que teníamos delante y dio un pisotón de impaciencia.

«Si no ha salido en un cuarto de hora el camino estará cubierto. En media hora no podremos vernos las manos delante».

«¿Nos movemos más atrás a un terreno más alto?».

«Sí, creo que sería lo mejor».

Así, a medida que el banco de niebla avanzaba, retrocedimos ante él hasta que estuvimos a media milla de la casa, y todavía aquel denso mar blanco, con la luna plateando su borde superior, avanzaba lenta e inexorablemente.

«Vamos demasiado lejos», dijo Holmes. «No nos atrevemos a correr el riesgo de que le den alcance antes de que pueda alcanzarnos. A toda costa debemos mantenernos donde estamos». Se puso de rodillas y pegó la oreja al suelo. «Gracias a Dios, creo que le oigo acercarse».

Un sonido de pasos rápidos rompió el silencio del páramo. Agazapados entre las piedras, miramos atentamente el banco de puntas plateadas que teníamos delante. Los pasos se hicieron más fuertes y a través de la niebla, como a través de una cortina, apareció el hombre al que esperábamos. Miró sorprendido a su alrededor mientras salía a la noche clara e iluminada por las estrellas. Luego se acercó rápidamente por el sendero, pasó cerca de donde estábamos tumbados y siguió subiendo por la larga pendiente que había detrás de nosotros. Mientras caminaba miraba continuamente por encima de ambos hombros, como un hombre que se siente incómodo.

«¡Chist!», gritó Holmes, y oí el agudo chasquido de una pistola amartillándose. «¡Cuidado! Ya viene!».

Se oyó un repiqueteo fino, nítido y continuo procedente de algún lugar del corazón de aquel banco reptante. La nube estaba a menos de cincuenta yardas de donde yacíamos, y los tres la miramos con fijeza, sin saber qué horror estaba a punto de brotar de su corazón. Yo estaba a la altura del codo de Holmes, y miré por un instante su rostro. Estaba pálido y exultante, sus ojos brillaban intensamente a la luz de la luna. Pero de pronto se pusieron rígidos, fijos, y sus labios se entreabrieron con asombro. En el mismo instante Lestrade dio un grito de terror y se tiró boca abajo al suelo. Me puse en pie de un salto, con la mano inerte agarrando mi pistola, con la mente paralizada por la espantosa forma que había surgido sobre nosotros de entre las sombras de la niebla. Era un sabueso, un enorme sabueso negro como el carbón, pero un sabueso distinto al que ojos mortales hayan visto jamás. De su boca abierta brotaba fuego, sus ojos brillaban con un fulgor humeante, su hocico y sus cachas y papada se perfilaban en llamas parpadeantes. Jamás en el sueño delirante de un cerebro desordenado pudo concebirse nada más salvaje, más espantoso, más infernal que aquella forma oscura y aquel rostro salvaje que irrumpieron sobre nosotros desde el muro de niebla.

Con largos brincos, la enorme criatura negra saltaba por la senda, siguiendo de cerca los pasos de nuestro amigo. Tan paralizados estábamos por la aparición que le permitimos pasar antes de que hubiéramos recuperado el valor. Entonces Holmes y yo disparamos a la vez, y la criatura emitió un horrible aullido, que demostraba que al menos uno de nosotros le había alcanzado. Sin embargo, no se detuvo, sino que siguió saltando. A lo lejos, en el sendero, vimos a Sir Henry mirando hacia atrás, con el rostro blanco a la luz de la luna, las manos levantadas con horror, mirando impotente a la espantosa cosa que le estaba dando caza. Pero aquel grito de dolor del sabueso había hecho saltar por los aires todos nuestros temores. Si era vulnerable era mortal, y si podíamos herirlo podíamos matarlo. Nunca he visto a un hombre correr como corrió Holmes aquella noche. Se me considera ágil de pies, pero él me superó tanto como yo al pequeño profesional. Delante de nosotros, mientras subíamos por la pista, oímos un grito tras otro de Sir Henry y el profundo rugido del sabueso. Llegué a tiempo para ver a la bestia saltar sobre su víctima, arrojarla al suelo y ensañarse con su garganta. Pero al instante siguiente Holmes había vaciado cinco cañones de su revólver en el flanco de la criatura. Con un último aullido de agonía y un feroz chasquido en el aire, rodó sobre su espalda, con sus cuatro patas dando furiosos zarpazos, y luego cayó inerte sobre un costado. Me agaché, jadeante, y apreté mi pistola contra la espantosa y brillante cabeza, pero era inútil apretar el gatillo. El sabueso gigante estaba muerto.

Sir Henry yacía insensible donde había caído. Le arrancamos el cuello de la camisa y Holmes exhaló una plegaria de gratitud al ver que no había señales de herida y que el rescate había llegado a tiempo. Los párpados de nuestro amigo ya temblaban e hizo un débil esfuerzo por moverse. Lestrade introdujo su petaca de brandy entre los dientes del baronet y dos ojos asustados nos miraban.

«¡Dios mío!», susurró. «¿Qué fue aquello? ¿Qué, en nombre del cielo, fue?».

«Está muerto, sea lo que sea», dijo Holmes. «Hemos despedido al fantasma de la familia de una vez por todas».

En mero tamaño y fuerza era una criatura terrible la que yacía tendida ante nosotros. No era un sabueso puro ni un mastín puro, sino que parecía una combinación de ambos: salvaje y tan grande como una pequeña leona. Incluso ahora, en la quietud de la muerte, las enormes mandíbulas parecían gotear una llama azulada y los ojos pequeños, hundidos y crueles estaban anillados de fuego. Puse la mano sobre el hocico incandescente y, al alzarlas, mis propios dedos ardieron y brillaron en la oscuridad.

«Fósforo», dije.

«Una astuta preparación del mismo», dijo Holmes, olfateando al animal muerto. «No hay ningún olor que pudiera haber interferido con su poder olfativo. Le debemos una profunda disculpa, Sir Henry, por haberle expuesto a este susto. Yo estaba preparado para un sabueso, pero no para una criatura como ésta. Y la niebla nos dio poco tiempo para recibirlo».

«Me ha salvado la vida».

«Habiéndola puesto primero en peligro. ¿Tiene fuerzas para mantenerse en pie?».

«Deme otro trago de ese brandy y estaré preparado para cualquier cosa. ¡Así! Ahora, si me ayuda a levantarme. ¿Qué se propone hacer?».

«Dejarle aquí. No está usted para más aventuras esta noche. Si espera, uno u otro de nosotros volverá con usted al Hall».

Intentó ponerse en pie tambaleándose; pero seguía espantosamente pálido y temblando de todos los miembros. Le ayudamos a subir a una roca, donde se sentó temblando con la cara enterrada entre las manos.

«Debemos dejarle ahora», dijo Holmes. «Hay que hacer el resto de nuestro trabajo, y cada momento es importante. Tenemos nuestro caso, y ahora sólo queremos a nuestro hombre».

«Hay mil contra uno en contra de que lo encontremos en la casa», continuó mientras volvíamos sobre nuestros pasos rápidamente por el sendero. «Esos disparos deben haberle dicho que el juego había terminado».

«Estábamos a cierta distancia, y esta niebla puede haberlos amortiguado».

«Siguió al sabueso para ahuyentarlo... de eso puede estar seguro. ¡No, no, ya se ha ido! Pero registraremos la casa y nos aseguraremos».

La puerta principal estaba abierta, así que entramos a toda prisa y nos apresuramos a ir de habitación en habitación ante el asombro de un viejo criado esquivo, que se encontró con nosotros en el pasillo. No había luz salvo en el comedor, pero Holmes cogió la lámpara y no dejó rincón de la casa sin explorar. No pudimos ver ni rastro del hombre al que perseguíamos. En el piso superior, sin embargo, una de las puertas de los dormitorios estaba cerrada con llave.

«Hay alguien aquí», gritó Lestrade. «Oigo un movimiento. Abra esta puerta».

Un débil gemido y un crujido procedían del interior. Holmes golpeó la puerta justo encima de la cerradura con la planta del pie y ésta se abrió de golpe. Pistola en mano, los tres entramos a toda prisa en la habitación.

Pero en su interior no había ni rastro de aquel villano desesperado y desafiante que esperábamos ver. En su lugar nos encontramos ante un objeto tan extraño y tan inesperado que nos quedamos un momento mirándolo con asombro.

La habitación había sido acondicionada como un pequeño museo, y las paredes estaban revestidas por varias vitrinas llenas de esa colección de mariposas y polillas cuya formación había sido la relajación de este hombre complejo y peligroso. En el centro de esta sala había una viga vertical, que había sido colocada en algún momento como soporte del viejo madero agusanado que cubría el tejado. A este poste estaba atada una figura, tan envuelta y amortajada en las sábanas que se habían utilizado para asegurarla que no se podía saber por el momento si era la de un hombre o la de una mujer. Una toalla pasaba alrededor de la garganta y se sujetaba en la parte posterior del pilar. Otra cubría la parte inferior del rostro, y sobre ella dos ojos oscuros —ojos llenos de pena y vergüenza y un espantoso interrogante— nos miraban. En un minuto habíamos arrancado la mordaza, desatado las ataduras y la señora Stapleton cayó al suelo frente a nosotros. Mientras su hermosa cabeza caía sobre su pecho vi la clara llaga roja de un latigazo en su cuello.

«¡El muy bruto!», gritó Holmes. «¡Aquí, Lestrade, su botella de brandy! ¡Póngala en la silla! Se ha desmayado por el abuso y el agotamiento».

Volvió a abrir los ojos.

«¿Está a salvo?», preguntó. «¿Se ha escapado?».

«No puede escapar de nosotros, señora».

«No, no, no me refería a mi marido. ¿Sir Henry? ¿Está a salvo?».

«Sí».

«¿Y el sabueso?».

«Está muerto».

Ella dio un largo suspiro de satisfacción.

«¡Gracias a Dios! ¡Gracias a Dios! ¡Oh, este villano! ¡Miren cómo me ha tratado!». Sacó los brazos de las mangas y vimos con horror que estaban moteados de moratones. «¡Pero esto no es nada... nada! Es mi mente y mi alma lo que él ha torturado y mancillado. Podía soportarlo todo, los malos tratos, la soledad, una vida de engaños, todo, mientras aún pudiera aferrarme a la esperanza de que tenía su amor, pero ahora sé que también en esto me engañó y he sido su herramienta». Rompió en apasionados sollozos mientras hablaba.

«No le tiene ninguna simpatía, señora», dijo Holmes. «Díganos entonces dónde podemos encontrarlo. Si alguna vez le ha ayudado en el mal, ayúdenos ahora y así expiará su culpa».

«Sólo hay un lugar donde puede haber huido», respondió ella. «Hay una vieja mina de estaño en una isla en el corazón del lodazal. Allí guardaba a su sabueso y allí también había hecho preparativos para tener un refugio. Allí es donde huiría».

El banco de niebla yacía como lana blanca contra la ventana. Holmes sostuvo la lámpara hacia él.

«Vean», dijo. «Nadie podría encontrar el camino a la Ciénaga de Grimpen esta noche».

Ella se rió y dio una palmada. Sus ojos y sus dientes brillaban con feroz alegría.

«Puede que encuentre la forma de entrar, pero nunca de salir», exclamó ella. «¿Cómo puede ver las varitas de guía esta noche? Las plantamos juntos, él y yo, para marcar el camino a través del fango. Oh, si hubiera podido arrancarlas hoy. Entonces sí que lo habría tenido a su merced».

Era evidente para nosotros que toda persecución era en vano hasta que la niebla se hubiera disipado. Mientras tanto dejamos a Lestrade en posesión de la casa mientras Holmes y yo regresábamos con el baronet a Baskerville Hall. Ya no se le podía ocultar la historia de los Stapleton, pero asimiló el golpe con valentía cuando supo la verdad sobre la mujer a la que había amado. Pero la conmoción de las aventuras de la noche le había destrozado los nervios, y antes de la mañana yacía delirando con fiebre alta bajo el cuidado del Doctor Mortimer. Los dos estaban destinados a dar juntos la vuelta al mundo antes de que Sir Henry volviera a ser el hombre sano y vigoroso que había sido antes de convertirse en el amo de aquella nefasta propiedad.

Y ahora yo llego rápidamente a la conclusión de esta singular narración, en la que he intentado hacer partícipe al lector de aquellos oscuros temores y vagas conjeturas que enturbiaron nuestras vidas durante tanto tiempo y acabaron de forma tan trágica. A la mañana siguiente de la muerte del sabueso la niebla se había disipado y fuimos guiados por la señora Stapleton hasta el punto donde habían encontrado un camino a través de la ciénaga. Nos ayudó a darnos cuenta del horror de la vida de esta mujer ver el afán y la alegría con que nos puso sobre la pista de su marido. La dejamos de pie sobre la delgada península de suelo firme y turboso que se estrechaba hacia la extensa ciénaga. Desde el extremo de la misma, una pequeña vara plantada aquí y allá mostraba por dónde zigzagueaba el sendero de mata en mata de juncos entre esos pozos llenos de verdín y esos fétidos lodazales que cerraban el paso al forastero. Los juncos y las plantas acuáticas exuberantes y viscosas nos lanzaban al rostro un olor a putrefacción y un pesado vapor miasmático, mientras que un paso en falso nos sumergía más de una vez hasta los muslos en el fango oscuro y tembloroso, que se agitaba durante metros en suaves ondulaciones alrededor de nuestros pies. Su tenaz agarre nos arañaba los talones mientras caminábamos, y cuando nos hundíamos en él era como si una mano maligna nos arrastrara hacia aquellas obscenas profundidades, tan sombrío y decidido era el agarre en el que nos tenía. Una sola vez vimos un rastro de que alguien había pasado por aquel peligroso camino antes que nosotros. De entre un mechón de hierba algodonosa que lo sacaba del fango sobresalía alguna cosa oscura. Holmes se hundió hasta la cintura al salir del sendero para agarrarlo, y si no hubiéramos estado allí para sacarlo a rastras nunca habría vuelto a pisar tierra firme. Sostenía una vieja bota negra en el aire. «Meyers, Toronto», estaba impreso en el interior de cuero.

«Vale la pena un baño de barro», dijo. «Es la bota perdida de nuestro amigo Sir Henry».

«Arrojada allí por Stapleton en su huida».

«Exactamente. La retuvo en su mano después de utilizarla para poner al sabueso sobre la pista. Huyó cuando supo que el juego había terminado, aún aferrándola. Y la arrojó lejos en este punto de su huida. Sabemos al menos que llegó hasta aquí a salvo».

Pero más que eso nunca estábamos destinados a saber, aunque había mucho que podíamos conjeturar. No había posibilidad de encontrar pisadas en el fango, pues el lodo ascendente rezumaba rápidamente sobre ellas, pero cuando por fin llegamos a terreno más firme, más allá del cenagal, todos las buscamos ansiosamente. Pero ni la más mínima señal de ellas se cruzó con nuestros ojos. Si la tierra contaba una historia real, entonces Stapleton nunca llegó a esa isla de refugio hacia la que luchó a través de la niebla aquella última noche. En algún lugar del corazón de la gran Ciénaga de Grimpen, abajo en el fétido lodo del enorme pantano que lo había succionado, este hombre de corazón frío y cruel está enterrado para siempre.

Encontramos muchas huellas de él en la isla cenagosa donde había escondido a su salvaje aliado. Una enorme rueda tractora y un pozo medio lleno de basura mostraban la posición de una mina abandonada. A su lado estaban los restos desmoronados de las casitas de los mineros, ahuyentados sin duda por el hedor nauseabundo del pantano circundante. En una de ellas, una estaca y una cadena con una cantidad de huesos roídos mostraban el lugar donde había estado confinado el animal. Un esqueleto con una maraña de pelo castaño adherido yacía entre los escombros.

«¡Un perro!», dijo Holmes. «Por Júpiter, un spaniel de pelo rizado. El pobre Mortimer no volverá a ver a su mascota. Bueno, no sé si este lugar contiene algún secreto que no hayamos desentrañado ya. Podía ocultar a su sabueso, pero no podía acallar su voz, y de ahí venían esos gritos que ni siquiera a la luz del día resultaban agradables de oír. En caso de emergencia podía mantener al sabueso en el cobertizo exterior de Merripit, pero siempre era un riesgo, y sólo el día supremo, que él consideraba el final de todos sus esfuerzos, se atrevió a hacerlo. Esta pasta de la lata es sin duda la mezcla luminosa con la que se embadurnó a la criatura. Fue sugerida, por supuesto, por la historia del sabueso infernal de la familia, y por el deseo de asustar hasta la muerte al viejo Sir Charles. No es de extrañar que el pobre diablo del convicto corriera y gritara, como hizo nuestro amigo, y como podríamos haber hecho nosotros mismos, cuando vio a semejante criatura saltando por la oscuridad del páramo tras su pista. Era una astuta estratagema, ya que, aparte de la posibilidad de llevar a su víctima a la muerte, ¿qué campesino se aventuraría a indagar demasiado sobre semejante criatura si la viera, como han hecho muchos, en el páramo? Lo dije en Londres, Watson, y lo repito ahora, que nunca hasta ahora hemos ayudado a cazar a un hombre más peligroso que el que yace allí»... barrió el aire con su largo brazo señalando hacia la enorme extensión de ciénaga, moteada de verde, que se extendía hasta fundirse con las laderas rojizas del páramo.

CAPÍTULO 15 – UNA RETROSPECTIVA

Era finales de noviembre y Holmes y yo estábamos sentados, en una noche cruda y brumosa, a ambos lados de un fuego abrasador en nuestro salón de Baker Street. Desde el trágico desenlace de nuestra visita a Devonshire él había estado ocupado en dos asuntos de la mayor importancia, en el primero de los cuales había desenmascarado la atroz conducta del Coronel Upwood en relación con el famoso escándalo de las cartas del Club Nonpareil, mientras que en el segundo había defendido a la desafortunada Mme. Montpensier de la acusación de asesinato que pesaba sobre ella en relación con la muerte de su hijastra, Mlle. Carére, la joven que, como se recordará, fue encontrada seis meses después viva y casada en Nueva York. Mi amigo estaba de excelente humor por el éxito que le había deparado una sucesión de casos difíciles e importantes, de modo que pude inducirle a discutir los detalles del misterio de los Baskerville. Yo había esperado pacientemente la oportunidad porque era consciente de que él nunca permitiría que los casos se superpusieran y de que su mente clara y lógica no se apartaría de su trabajo actual para detenerse en recuerdos del pasado. Sir Henry y el Doctor Mortimer estaban, sin embargo, en Londres, de camino a ese largo viaje que le habían recomendado para restaurar sus destrozados nervios. Nos habían visitado esa misma tarde, por lo que era natural que el tema saliera a colación.

«Todo el curso de los acontecimientos», dijo Holmes, «desde el punto de vista del hombre que se hacía llamar Stapleton era sencillo y directo, aunque para nosotros, que al principio no teníamos medios para conocer los motivos de sus acciones y sólo podíamos conocer una parte de los hechos, todo parecía excesivamente complejo. He tenido la ventaja de mantener dos conversaciones con la señora Stapleton, y el caso ha quedado ahora tan enteramente aclarado que no soy consciente de que haya algo que haya permanecido en secreto para nosotros. Usted encontrará algunas notas sobre el asunto bajo el epígrafe B en mi lista indexada de casos».

«Quizá tenga la amabilidad de ofrecerme de memoria un esbozo del curso de los acontecimientos».

«Ciertamente, aunque no puedo garantizar que lleve todos los hechos en mi mente. La intensa concentración mental tiene una curiosa forma de borrar lo que ha pasado. El abogado que tiene su caso en la punta de los dedos y es capaz de discutir con un experto sobre su propio tema, se encuentra con que una semana o dos de tribunales se lo vuelven a sacar todo de la cabeza. Así que cada uno de mis casos desplaza al anterior, y Mlle. Carére ha difuminado mi recuerdo de Baskerville Hall. Mañana puede que se someta a mi conocimiento algún otro pequeño problema que a su vez desaloje a la bella dama francesa y al infame Upwood. Sin embargo, por lo que respecta al caso del sabueso, le expondré el curso de los acontecimientos lo más fielmente que pueda, y usted me sugerirá cualquier detalle que pueda haber olvidado.

«Mis averiguaciones demuestran más allá de toda duda que el retrato de familia no mentía, y que este tipo era efectivamente un Baskerville. Era hijo de ese Rodger Baskerville, el hermano menor de Sir Charles, que huyó con una reputación siniestra a Sudamérica, donde se decía que había muerto soltero. De hecho, se casó y tuvo un hijo, éste, cuyo verdadero nombre es el mismo que el de su padre. Se casó con Beryl García, una de las bellezas de Costa Rica, y, tras haber robado una considerable suma de dinero público, cambió su nombre por el de Vandeleur y huyó a Inglaterra, donde estableció una escuela en el este de Yorkshire. Su razón para intentar esta línea especial de negocio era que había entablado amistad con un tutor tísico en el viaje de vuelta a casa, y que había utilizado la habilidad de este hombre para que la empresa fuera un éxito. Sin embargo, Fraser, el tutor, murió y la escuela, que había empezado estupendamente, pasó del descrédito a la infamia. A los Vandeleur les pareció conveniente cambiar su nombre por el de Stapleton, y él se llevó los restos de su fortuna, sus planes para el futuro y su gusto por la entomología al sur de Inglaterra. En el Museo Británico me enteré de que era una autoridad reconocida en la materia, y que el nombre de Vandeleur ha quedado permanentemente unido a cierta polilla que él, en sus días de Yorkshire, había sido el primero en describir.

«Llegamos ahora a esa parte de su vida que nos ha resultado de tan intenso interés. Evidentemente, el tipo hizo averiguaciones y descubrió que sólo dos vidas se interponían entre él y una valiosa propiedad. Cuando se marchó a Devonshire sus planes eran, creo yo, excesivamente nebulosos, pero que sus intenciones eran maléficas desde el primer momento resulta evidente por la forma en que se llevó consigo a su esposa en el carácter de su hermana. La idea de utilizarla como señuelo estaba ya claramente en su mente, aunque puede que no estuviera seguro de cómo iban a organizarse los detalles de su complot. Su intención final era poseer la propiedad, y estaba dispuesto a utilizar cualquier herramienta o correr cualquier riesgo con ese fin. Su primer acto fue establecerse lo más cerca posible de su hogar ancestral, y el segundo, cultivar una amistad con Sir Charles Baskerville y con los vecinos.

«El propio baronet le habló del sabueso de la familia y preparó así el camino para su propia muerte. Stapleton, como seguiré llamándole, sabía que el corazón del anciano era débil y que una conmoción lo mataría. Así lo había sabido por el Doctor Mortimer. También había oído que Sir Charles era supersticioso y se había tomado muy en serio esta sombría leyenda. Su ingeniosa mente sugirió al instante una forma por la que se podría dar muerte al baronet y, sin embargo, sería difícil hacer recaer la culpa sobre el verdadero asesino.

«Una vez concebida la idea, procedió a llevarla a cabo con considerable finura. Un conspirador ordinario se habría contentado con trabajar con un sabueso salvaje. El uso de medios artificiales para convertir a la criatura en diabólica fue un destello de genialidad por su parte. El perro lo compró en Londres a Ross & Mangles, los comerciantes de Fulham Road. Era el más fuerte y salvaje que poseían. Lo trajo por la línea de North Devon y recorrió una gran distancia por el páramo para llevarlo a casa sin excitar ningún comentario. En sus cacerías de insectos ya había aprendido a penetrar en la Ciénaga de Grimpen, por lo que había encontrado un escondite seguro para la criatura. Aquí la enjauló y esperó su oportunidad.

«Pero tardó en llegar. No se podía atraer al viejo caballero fuera de sus terrenos por la noche. Varias veces acechó Stapleton con su sabueso, pero sin resultado. Fue durante estas búsquedas infructuosas cuando él, o más bien su aliado, fue visto por los campesinos, y cuando la leyenda del perro demoníaco recibió una nueva confirmación. Había esperado que su esposa atrajera a Sir Charles a su ruina, pero en este caso ella se mostró inesperadamente independiente. Ella no se esforzaría por enredar al viejo caballero en un apego sentimental que podría entregarlo a su enemigo. Las amenazas e incluso, siento decirlo, los golpes se negaron a conmoverla. Ella no tendría nada que ver con eso, y durante un tiempo Stapleton estuvo en un callejón sin salida.

«Encontró una salida a sus dificultades gracias a la casualidad de que Sir Charles, que había forjado una amistad con él, le hizo ministro de su caridad en el caso de esta desafortunada mujer, la señora Laura Lyons. Representándose a sí mismo como un hombre soltero adquirió una influencia total sobre ella, y le dio a entender que en el caso de que obtuviera el divorcio de su marido él se casaría con ella. Sus planes se precipitaron súbitamente al saber que Sir Charles estaba a punto de abandonar el Hall por consejo del Doctor Mortimer, con cuya opinión él mismo pretendía coincidir. Debía actuar de inmediato o su víctima podría escapar a su poder. Por lo tanto, presionó a la señora Lyons para que escribiera esta carta, implorando al anciano que le concediera una entrevista la noche anterior a su partida hacia Londres. Entonces, con un argumento engañoso, le impidió ir, y así tuvo la oportunidad que había esperado.

«Volviendo por la tarde de Coombe Tracey, llegó a tiempo de coger a su sabueso, tratarlo con su pintura infernal y llevar a la bestia hasta la puerta en la que tenía razones para esperar encontrar al viejo caballero esperando. El perro, incitado por su amo, saltó la puerta de paso y persiguió al desafortunado baronet, que huyó gritando por el callejón de los tejos. En aquel tenebroso túnel debió de ser realmente un espectáculo espantoso ver a aquella enorme criatura negra, con sus fauces ardientes y sus ojos llameantes, saltar tras su víctima. El hombre cayó muerto al final del callejón de un ataque al corazón y de terror. El sabueso se había mantenido en el borde cubierto de hierba mientras el baronet corría por el sendero, de modo que no se veía más huella que la del hombre. Al verlo inmóvil, la criatura se había acercado probablemente para olisquearlo, pero al encontrarlo muerto se había alejado de nuevo. Fue entonces cuando dejó la huella que observó el Doctor Mortimer. El sabueso fue retirado y alejado a toda prisa hacia su guarida en la Ciénaga de Grimpen, y quedó un misterio que desconcertó a las autoridades, alarmó al campo y, finalmente, puso el caso al alcance de nuestra observación.

«Hasta aquí la muerte de Sir Charles Baskerville. Usted percibe la diabólica astucia del mismo, pues realmente sería casi imposible presentar un caso contra el verdadero asesino. Su único cómplice era uno que nunca podría delatarlo, y la naturaleza grotesca e inconcebible del ardid sólo sirvió para hacerlo más eficaz. Las dos mujeres implicadas en el caso, la señora Stapleton y la señora Laura Lyons, albergaban fuertes sospechas contra Stapleton. La señora Stapleton sabía que tenía designios contra el anciano, y también de la existencia del sabueso. La señora Lyons no sabía ninguna de estas cosas, pero le había impresionado la muerte ocurrida en el momento de una cita no cancelada que sólo él conocía. Sin embargo, ambos estaban bajo su influencia y no tenía nada que temer de ellos. La primera mitad de su tarea se había cumplido con éxito, pero aún quedaba lo más difícil.

«Es posible que Stapleton no supiera de la existencia de un heredero en Canadá. En cualquier caso lo sabría muy pronto por su amigo el Doctor Mortimer, y éste le contó todos los detalles sobre la llegada de Henry Baskerville. La primera idea de Stapleton fue que aquel joven forastero de Canadá posiblemente terminaría muerto en Londres sin necesidad de venir a Devonshire. Desconfiaba de su esposa desde que ésta se había negado a ayudarle a tender una trampa al viejo, y no se atrevía a perderla de vista mucho tiempo por temor a disminuir su influencia sobre ella. Por esta razón se la llevó a Londres con él. Se alojaron, según descubrí, en el Hotel Privado Mexborough, en Craven Street, que fue en realidad uno de los que visitó mi agente en busca de pruebas. Aquí mantuvo a su esposa prisionera en su habitación mientras él, disfrazado con barba, seguía al Doctor Mortimer hasta Baker Street y después hasta la estación y el Hotel Northumberland. Su esposa tenía algún indicio de sus planes; pero tenía tanto miedo de su marido —un miedo fundado en brutales malos tratos— que no se atrevió a escribir para advertir al hombre que, como ella bien sabía, estaba en peligro. Si la carta caía en manos de Stapleton su propia vida ya no estaría a salvo. Al final, como sabemos, adoptó el expediente de recortar las palabras que formarían el mensaje, y dirigir la carta de forma encubierta. Llegó al baronet y le dio el primer aviso de su peligro.

«Era sumamente esencial para Stapleton conseguir algún artículo del atuendo de Sir Henry para que, en caso de que se viera obligado a utilizar el perro, pudiera tener en todo momento los medios de ponerlo sobre su pista. Con su prontitud y audacia características se puso a ello de inmediato, y no podemos dudar de que el botinero o la camarera del hotel fueron bien sobornados para que le ayudaran en su designio. Por casualidad, sin embargo, la primera bota que le consiguieron era nueva y, por lo tanto, inútil para su propósito. Entonces hizo que se la devolvieran y obtuvo otra, un incidente de lo más instructivo, ya que me demostró de forma concluyente que estábamos ante un auténtico sabueso, pues ninguna otra suposición podía explicar esa ansiedad por obtener una bota vieja y esa indiferencia por una nueva. Cuanto más estrambótico y grotesco es un incidente, más cuidadosamente merece ser examinado, y el mismo punto que parece complicar un caso es, cuando se considera debidamente y se trata científicamente, el que tiene más probabilidades de dilucidarlo.

«A la mañana siguiente recibimos la visita de nuestros amigos, siempre a la sombra de Stapleton en el taxi. Por su conocimiento de nuestras habitaciones y de mi aspecto, así como por su conducta general, me inclino a pensar que la carrera delictiva de Stapleton no se ha limitado en absoluto a este único asunto de los Baskerville. Resulta sugestivo que durante los últimos tres años se hayan producido cuatro robos considerables en el oeste del país, y que por ninguno de ellos se detuviera jamás a ningún delincuente. El último de ellos, en Folkestone Court, en mayo, fue notable por la sangre fría del paje, que sorprendió al ladrón enmascarado y solitario. No puedo dudar de que Stapleton se procuró de este modo sus escasos recursos, y que durante años ha sido un hombre desesperado y peligroso.

«Tuvimos un ejemplo de su prontitud de recursos aquella mañana, cuando se nos escapó con tanto éxito, y también de su audacia al transmitirme mi propio nombre a través del taxista. Desde ese momento comprendió que yo me había hecho cargo del caso en Londres y que, por lo tanto, no había ninguna oportunidad para él allí. Regresó a Dartmoor y esperó la llegada del baronet».

«¡Un momento!», dije yo. «Sin duda, ha descrito correctamente la secuencia de los acontecimientos, pero hay un punto que ha dejado sin explicar. ¿Qué fue del sabueso cuando su amo estaba en Londres?».

«He prestado cierta atención a este asunto y sin duda tiene importancia. No cabe duda de que Stapleton tenía un confidente, aunque es poco probable que se arriesgara a ponerse bajo su poder compartiendo con él todos sus planes. Había un viejo criado en Merripit House que se llamaba Anthony. Su relación con los Stapleton se remonta a varios años, hasta los tiempos de maestro de escuela, por lo que debía de ser consciente de que su amo y su ama eran realmente marido y mujer. Este hombre ha desaparecido y ha escapado del país. Es sugestivo que Anthony no sea un nombre común en Inglaterra, mientras que Antonio lo es en todos los países españoles o hispanoamericanos. El hombre, como la propia señora Stapleton, hablaba bien inglés, pero con un curioso acento ceceante. Yo mismo he visto a este anciano cruzar la Ciénaga de Grimpen por el camino que Stapleton había marcado. Es muy probable, por tanto, que en ausencia de su amo fuera él quien cuidara del sabueso, aunque puede que nunca supiera el propósito para el que se utilizaba la bestia.

«Los Stapleton bajaron entonces a Devonshire, adonde pronto les siguieron Sir Henry y usted. Unas palabras ahora sobre cómo me encontraba yo en aquel momento. Posiblemente le venga a la memoria que cuando examiné el papel sobre el que estaban sujetas las palabras impresas hice una inspección minuciosa en busca de la marca de agua. Al hacerlo, lo sostuve a unas pulgadas de mis ojos y fui consciente de un leve olor del perfume conocido como jazmín blanco. Hay setenta y cinco perfumes que es muy necesario que un experto criminalista sepa distinguir entre sí, y más de una vez, según mi propia experiencia, los casos han dependido de su rápido reconocimiento. El aroma sugería la presencia de una dama, y ya mis pensamientos empezaron a volverse hacia los Stapleton. Así pues, me había cerciorado del sabueso y había adivinado al criminal antes incluso de ir al oeste del país.

«Era mi juego vigilar a Stapleton. Era evidente, sin embargo, que no podría hacerlo si estaba con usted, ya que él estaría muy en guardia. Engañé a todo el mundo, por tanto, usted incluido, y fui en secreto cuando se suponía que estaba en Londres. Mis penurias no fueron tan grandes como usted imaginaba, aunque esos detalles insignificantes nunca deben interferir en la investigación de un caso. Permanecí la mayor parte del tiempo en Coombe Tracey, y sólo utilicé la cabaña del páramo cuando era necesario estar cerca del lugar de la acción. Cartwright había venido conmigo, y en su disfraz de muchacho de campo me fue de gran ayuda. Dependía de él para la comida y la ropa limpia. Cuando yo vigilaba a Stapleton, Cartwright le vigilaba a usted con frecuencia, de modo que pude mantener la mano en todos los hilos.

«Ya le he dicho que sus informes me llegaron rápidamente, siendo remitidos al instante desde Baker Street a Coombe Tracey. Me fueron de gran utilidad, y especialmente ese trozo de biografía de Stapleton, incidentalmente veraz. Pude establecer la identidad del hombre y de la mujer y por fin supe exactamente cuál era mi situación. El caso se había complicado considerablemente con el incidente del convicto fugado y las relaciones entre él y los Barrymore. Esto también lo aclaró usted de manera muy eficaz, aunque yo ya había llegado a las mismas conclusiones a partir de mis propias observaciones.

«En el momento en que usted me descubrió en el páramo yo tenía un conocimiento completo de todo el asunto, pero no tenía un caso que pudiera presentarse ante un jurado. Ni siquiera el atentado de Stapleton contra Sir Henry aquella noche, que acabó con la muerte del desafortunado convicto, nos ayudó mucho a probar el asesinato contra nuestro hombre. No parecía haber más alternativa que atraparlo con las manos en la masa, y para ello tuvimos que utilizar a Sir Henry, solo y aparentemente desprotegido, como señuelo. Así lo hicimos, y a costa de una fuerte conmoción para nuestro cliente conseguimos completar nuestro caso y conducir a Stapleton a su destrucción. Que Sir Henry se viera expuesto a esto es, debo confesarlo, un reproche a mi gestión del caso, pero no teníamos medios para prever el terrible y paralizante espectáculo que presentaba la bestia, ni podíamos predecir la niebla que le permitió irrumpir sobre nosotros con tan poca antelación. Conseguimos nuestro objetivo a un coste que tanto el especialista como el Doctor Mortimer me aseguran que será temporal. Un largo viaje puede permitir a nuestro amigo recuperarse no sólo de sus nervios destrozados sino también de sus sentimientos heridos. Su amor por la dama era profundo y sincero, y para él lo más triste de todo este negro asunto fue haber sido engañado por ella.

«Sólo queda indicar el papel que ella había desempeñado en todo momento. No cabe duda de que Stapleton ejerció sobre ella una influencia que pudo ser amor o pudo ser miedo, o muy posiblemente ambas cosas, ya que no son en absoluto emociones incompatibles. Fue, al menos, absolutamente eficaz. A sus órdenes, ella consintió en hacerse pasar por su hermana, aunque encontró los límites de su poder sobre ella cuando se empeñó en hacerla cómplice directa del asesinato. Estaba dispuesta a advertir a Sir Henry en la medida de lo posible sin implicar a su marido, y una y otra vez lo intentó. El propio Stapleton parece haber sido capaz de sentir celos, y cuando vio al baronet cortejando a la dama, a pesar de que formaba parte de su propio plan, no pudo evitar interrumpirlo con un arrebato apasionado que reveló el alma ardiente que sus maneras contenidas ocultaban tan hábilmente. Al fomentar la intimidad, hizo que Sir Henry acudiera con frecuencia a Merripit House y que tarde o temprano tuviera la oportunidad que deseaba. El día de la crisis, sin embargo, su esposa se volvió repentinamente contra él. Se había enterado de la muerte del convicto, y sabía que el sabueso iba a ser guardado en la caseta la noche en que Sir Henry iba a venir a cenar. Acusó a su marido del crimen que pretendía cometer, y se produjo una escena furiosa en la que él le manifestó por primera vez que tenía una rival en su amor. Su fidelidad se convirtió en un instante en amargo odio, y él vio que ella le traicionaría. La ató, por tanto, para que no tuviera oportunidad de advertir a Sir Henry, y esperó, sin duda, que cuando todo el campo atribuyera la muerte del baronet a la maldición de su familia, como sin duda harían, podría volver a ganarse a su esposa para que aceptara un hecho consumado y guardara silencio sobre lo que sabía. En cualquier caso, creo que cometió un error de cálculo y que, si no hubiéramos estado allí, su perdición habría quedado sellada. Una mujer de sangre española no perdona una injuria así tan a la ligera. Y ahora, mi querido Watson, sin remitirme a mis notas, no puedo darle un relato más detallado de este curioso caso. No sé si algo esencial ha quedado sin explicar».

«No podía esperar asustar a Sir Henry hasta la muerte como había hecho con el viejo tío con su sabueso vagabundo».

«La bestia era salvaje y estaba medio muerta de hambre. Si su aspecto no asustaba a su víctima hasta la muerte, al menos paralizaría la resistencia que pudiera ofrecer».

«Sin duda. Sólo queda una dificultad. Si Stapleton entrara en la sucesión, ¿cómo podría explicar el hecho de que él, el heredero, hubiera estado viviendo sin anunciarse bajo otro nombre tan cerca de la propiedad? ¿Cómo podría reclamarla sin provocar sospechas e indagaciones?».

«Es una dificultad formidable, y me temo que pide usted demasiado cuando espera que yo la resuelva. El pasado y el presente están dentro del campo de mi investigación, pero lo que un hombre puede hacer en el futuro es una pregunta difícil de responder. La señora Stapleton ha oído a su marido discutir el problema en varias ocasiones. Había tres cursos posibles. Podía reclamar la propiedad desde Sudamérica, establecer su identidad ante las autoridades británicas de allí y obtener así la fortuna sin tener que venir nunca a Inglaterra, o podía adoptar un elaborado disfraz durante el breve tiempo que necesitara estar en Londres; o, también, podía proporcionar a un cómplice las pruebas y los papeles, poniéndole como heredero y quedándose con una parte de sus ingresos. No podemos dudar, por lo que sabemos de él, que habría encontrado alguna forma de salir de la dificultad. Y ahora, mi querido Watson, hemos tenido algunas semanas de severo trabajo, y por una tarde, creo, podemos dirigir nuestros pensamientos hacia derroteros más agradables. Tengo un palco para Les Huguenots. ¿Ha oído hablar de los De Reszke? ¿Podría molestarle entonces y pedirle que esté listo en media hora, y podemos parar en Marcini's para cenar algo por el camino?».

Rosetta Edu

CLÁSICOS EN ESPAÑOL

Esperamos que haya disfrutado esta lectura. ¿Quiere leer otra obra de nuestra colección de *Clásicos en español*?

En nuestro Club del Libro encontrarás artículos relacionados con los libros que publicamos y la literatura en general. ¡Suscríbete en nuestra página web y te ofrecemos un ebook gratis por mes!

Recibe tu copia totalmente gratuita de nuestro *Club del libro* en rosettaedu.com/pages/club-del-libro

Rosetta Edu

EDICIONES BILINGÜES

De Jacob Flanders no se sabe sino lo que se deja entrever en las impresiones que los otros personajes tienen de él y sin embargo él es el centro constante de la narración. La primera novela experimental de Virginia Woolf trabaja entonces sobre ese vacío del personaje central. Ahora presentado en una edición bilingüe facilitando la comprensión del original.

Durante décadas, y acercándose a su centenario, *El gran Gatsby* ha sido considerada una obra maestra de la literatura y candidata al título de «Gran novela americana» por su dominio al mostrar la pura identidad americana junto a un estilo distinto y maduro. La edición bilingüe permite apreciar los detalles del texto original y constituye un paso obligado para aprender el inglés en profundidad.

El Principito es uno de los libros infantiles más leídos de todos los tiempos. Es un verdadero monumento literario que con justicia se ha convertido en el libro escrito en francés más impreso y traducido de toda la historia. La edición bilingüe francés / español permite apreciar el original en todo su esplendor a la vez que abordar un texto fundamental de la lengua gala.

rosettaedu.com

Made in United States
Orlando, FL
24 July 2024